NOTA DEL EDITOR

Este es el noveno volumen del increíble diario del pequeño Charlie Small y, literalmente, cayó del cielo. Me encontraba en los Pirineos, y trepaba por las rocas para acercarme a un enorme nido que había en una cornisa alta y solitaria cuando, de repente, oí un estridente grito a mis espaldas. Miré hacia el rocoso valle y vi un quebrantahuesos que daba vueltas en el aire.

El pájaro se lanzó en picado desde lo alto y, creyendo que iba a atacarme, me alejé rápidamente de su nido. Pero, al pasar suavemente por encima de mí, algo le cayó de entre las poderosas garras, que aterrizó sobre mi regazo dándome un fuerte golpe. ¡Imaginad cuál fue mi sorpresa al ver que era un nuevo diario de Charlie! Además de estar repleto de maravillosos dibujos, el cuaderno narra lo que probablemente sea la aventura más divertida de Charlie hasta el momento. Me lo guardé en la mochila y, tan pronto como hube llegado al campamento base, lo hice llegar al editor con una mula de carga.

Todavía debe de haber otros diarios sin encontrar, así que, por favor, tened los ojos bien abiertos. Si halláis un cuaderno increíble, o si veis a un chico de ocho años con una mochila hecha polvo, contactad conmigo a través de la siguiente dirección:

www.charliesmall.co.uk

(Nickelodious Trumpery Ward, conservador de los diarios de Charlie Small)

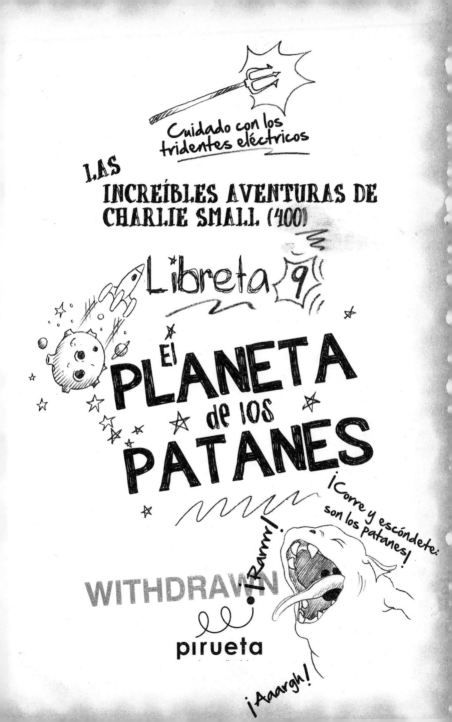

Título original: Charlie Small Journal 9. Planet of the Gerks
© Charlie Small 2010
Primera publicación como Charlie Small: Planet of the Gerks por Random House
Children's Publishers UK, un sello de Random House Group

Primera edición: octubre 2013
© de la traducción: Carol Isern
© de esta edición: Roca Editorial de Libros, S.L.
Av. Marqués de l'Argentera, 17, Pral.
08003 Barcelona
www.piruetaeditorial.com

Impreso por Liberdúplex
Crta. BV-2249 Km. 7,4 Pol. Ind. Torrentfondo
Sant Llorenç d'Hortons (Barcelona)

ISBN: 978-84-15235-56-9
Depósito legal: B-20794-2013
Código IBIC: YFC

NOMBRE: Charlie Small

DIRECCIÓN: Planeta de los patanes

EDAD: ¡400 años, y sumando!

MÓVIL: 07713

ESCUELA: ¿Qué es una escuela?

COSAS QUE ME GUSTAN: ¡Philly, y su mamá y papá; Perro Loco y Rob!

COSAS QUE ODIO: A los patanes: a todos ellos; el Gravitador (¡me metió en muchos problemas!); a Joseph Craik (el hombre más malvado que hay en el mundo entero)

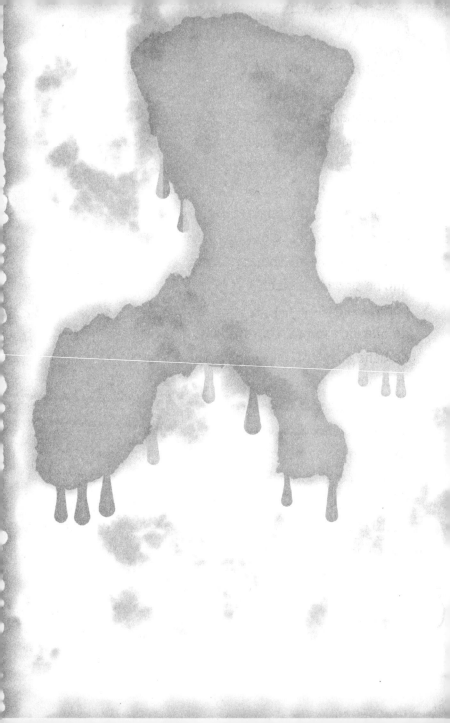

Si encontráis este libro, POR FAVOR, cuidadlo bien. En él se encuentra la única narración verdadera de mis impresionantes aventuras.

Me llamo Charlie Small y tengo cuatrocientos años. Pero en todos estos largos años no he crecido. Cuando tenía ocho años sucedió una cosa, una cosa que todavía no comprendo. Me fui de viaje... y todavía estoy buscando el camino de vuelta a casa. Ahora, a pesar de que he viajado por el espacio hasta planetas desconocidos, de que he sido perseguido por unos patanes asquerosos parecidos a reptiles y de que me he librado por los pelos de que me aspiraran el cerebro, sigo pareciendo un niño de ocho años normal y corriente con el que os podríais encontrar por la calle.

¡He conseguido evitar que me colgaran y he desafiado a una ciudad entera de extraterrestres! Quizá creáis que todo esto no es más que una fantasía; podríais pensar que todo es mentira. Pero os equivocaríais, porque TODO LO QUE SE CUENTA EN ESTE LIBRO ES VERDAD. Creedlo y haréis el viaje más increíble que nunca hayáis imaginado.

Charlie Small

¡Perder el tiempo!

¡BANG! ¡CRAC! ¡PAM!

¿Sabes qué voy a hacer, Charlie Small? –oí que decía Joseph Craik desde fuera.

Lo oía, pero la ventana de mi celda estaba demasiado alta para que pudiera ver nada por ella. A pesar de ello, yo sabía perfectamente qué se proponía ese viejo depravado. Pero no respondí. Con eso solo conseguiría que él disfrutara más.

–Voy a construir una horca, Charlie, toda para ti –oí que decía con tono de burla–. Podría hacerla con un nudo corredizo, pero ya que he conseguido capturarte, he decidido hacer el trabajo bien hecho y construir una horca sólida. Creo que te gustará, Charlie. ¡Je, je!

Y entonces, ese despreciable cazaladrones entonó una siniestra canción de horca:

Tendríais que verlos de la cuerda colgados,
se debaten aunque esperanza no quede ya,
sí, deberíais verlos colgados
y os haría sonreír de verdad
ver cómo graznan de la cuerda colgados.

Miré a mi alrededor por enésima vez, pero seguía sin saber cómo podía salir de allí. Parecía que Craik me había derrotado por fin. ¡Y pensar que hacía tan solo dos días que había conseguido regresar a casa después de haber estado lejos durante cuatrocientos años!

De regreso a la Tierra de la Aventura

Papá y yo habíamos escapado del bosque de las Calaveras metiéndonos dentro de un árbol hueco y siguiendo un túnel que conducía hasta el patio trasero de mi casa. Fue genial estar en casa otra vez, después de tanto tiempo, y tenía muchísimas ganas de comer alguno de los platos de mamá: ¡hacía demasiado que me alimentaba de gusanos y de cartilaginosas larvas! Pero ¡no conseguí probar ninguno de ellos, y ni siquiera pude dormir en mi propia cama!

Mamá me pidió que fuera a buscar un poco de leche a la tienda de la esquina, y cuando me encontraba de regreso me tropecé con Craik, mi peor enemigo. No tengo ni idea de cómo logró llegar a mi mundo, pero ¡había prometido ir a buscarme hasta el último confín de la Tierra y estaba claro que mantenía su palabra!

(Leed mi diario El bosque de las calaveras)

Ese delincuente bravucón me obligó a cruzar la ciudad. Yo me resistí y grité, pero era como si estuviera caminando dentro de un DVD en pausa: todas las personas de la calle se habían quedado inmóviles, como si el tiempo se hubiera detenido en seco.

Craik me llevó hasta el canal, me hizo subir de un empujón a bordo de una desvencijada barcaza y me encadenó al timón. Entonces, ese bravucón dirigió la barcaza hasta una zona abandonada del canal. Avanzamos entre dos orillas cubiertas de malas hierbas y llegamos a un estrecho túnel que atravesaba una colina. La entrada del túnel estaba bloqueada por unos tablones, pero Craik los apartó y nos adentramos en él.

El canal seguía por un túnel que atravesaba una colina

Al momento, nos vimos propulsados por una rápida corriente. Los laterales de la barcaza rozaban las paredes del túnel soltando chispas en el aire. El estruendo del agua y el chirrido del metal contra los ladrillos eran tan ensordecedores que casi me dolían los oídos. Cuando ya no me creía capaz de seguir aguantándolo, la barcaza chocó contra otros tablones que tapaban la salida del túnel y salimos abruptamente a la luz del sol.

Me cubrí los ojos; al cabo de un momento, cuando los destellos coloreados que me habían cegado desaparecieron, miré a mi alrededor. ¡Todo parecía más brillante y mejor enfocado, como en un sueño, y supe que me encontraba otra vez en el extraño y peligroso mundo de mis aventuras!

Recorrimos unos cuantos kilómetros más por el río hasta que Craik amarró la barcaza a un muelle de madera que se encontraba en la parte inferior de una cuesta ajardinada y llena de maleza. Por él, un caminito llegaba hasta una mansión grande y oscura que tenía unas torrecillas.

–Bienvenido a mi humilde morada –dijo Craik con tono de burla mientras me quitaba las cadenas.

Luego me cogió del cuello de la camisa y me arrastró por el camino que cruzaba el jardín hasta la mansión. Una vez allí, me empujó al interior de una habitación pequeña y polvorienta que se encontraba en la parte trasera de la casa y cerró la pesada puerta de roble.

¡La última entrada de mi diario, para siempre!

Eso fue hace dos días. Desde entonces he estado encerrado en este apestoso agujero con la única compañía de unos cuantos ratones, y he tenido que dormir encima de un montón de paja maloliente. Lo único que Craik me ha dado para comer ha sido un vaso de agua podrida y un poco de pan aceitoso.

¡Eh, los ratones somos una buena compañía!

Busqué por todas partes la manera de escapar de aquí, pero Craik es un cazaladrones muy profesional, así que esta fortaleza está construida a prueba de fugas. Probé a cavar un túnel en el suelo, pero es de un hormigón muy duro y la hoja de mi navaja no le hace ni un rasguño en la superficie. La única ventana que hay está muy alta y tiene unos sólidos barrotes de acero. «¡Maldición! –pensé–. Tiene que haber una forma de salir de aquí.»

Miraré en la mochila a ver si se me ocurre alguna idea. Nunca salgo sin mi valioso equipo de explorador (ni siquiera para ir a la tienda de la esquina, ¡gracias al cielo!): me ha ayudado un montón de veces durante mis aventuras, ¡y si alguno de quienes están leyendo esto quiere ir a explorar un rato, que no se olvide de llevarse una mochila llena de objetos útiles!

7

Ahora, en mi mochila llevo:
1) Una navaja multiusos
2) Un rollo de cordel
3) Una botella de agua
4) Un telescopio
5) Una bufanda (¡llena de agujeros de bala!)
6) Un billete de tren viejo
7) Este diario

mi mochila

8) Un paquete de cromos de animales salvajes (lleno de información útil)

9) Un tubo de pegamento para pegar cosas en mi cuaderno

10) Un ojo de cristal de mi valiente amigo el rinoceronte de vapor

11) La brújula y la linterna que encontré en un esqueleto descolorido por el sol de un explorador perdido

12) El diente de sierra de un megatiburón (me sirve de sierra)

13) Una lupa

14) Una radio

15) Mi teléfono móvil y el cargador de cuerda

16) El cráneo de un murciélago bárbaro (¡roto por culpa del enorme pie plano de Barcus, el tejón!)

17) Un fajo de mapas y esquemas (donde se ven muchos de los sitios a los que he viajado)

18) Una bolsa de canicas

19) Un limón de plástico lleno de zumo de limón

20) Un lazo

21) El dedo de hueso de un esqueleto viviente

22) La cajita que Philly me regaló (ved mi diario *El bosque de las calaveras*)

Todas estas cosas me han sido muy útiles, pero ahora, por primera vez en todas mis aventuras, no tengo ningún plan. Me encuentro preso en la espeluznante guarida de Craik, esperando a que termine con su mortífero proyecto de manualidades.

Horas y horas más tarde

¡Se acabó mi tiempo! Oigo las llaves de Craik al otro lado de la puerta de mi prisión, y ahora mismo está a punto de llevarme a la horca. ¡Oh, socorro! Después de tanto tiempo corriendo aventuras, nunca me imaginé que terminaría de esta forma. Ensartado en el alfanje de la capitana Cortagargantas, quizá, pero acabar atrapado por el rastrero y llorón de Craik es casi del todo insoportable. Acabo aquí mi diario. ¡Adiós mundo cruel!

Me escapo ¡Yupii!

¡No os lo vais a creer! ¡No me ahorcó! Y ahora estoy a kilómetros de distancia de Craik. Voy a explicaros cómo me escapé.

Mientras Craik abría la puerta de mi prisión, yo volví a guardar mis cosas en la mochila y me la colgué a la espalda.

—No te va a servir de gran cosa al sitio donde vas a ir —se burló Craik mientras me llevaba al otro lado de la oscura mansión, donde una enorme horca me esperaba en medio de un patio adoquinado.

Hacía un tiempo horrible. Un fuerte viento barría el patio y unas nubes grises y grandes cubrían el cielo a tan poca altura que casi rozaban las copas de los esqueléticos árboles del jardín de Craik. Unas cuantas gotas frías me mojaron la cara.

—Vale, sube —dijo Craik, empujándome hacia los escalones que conducían a una alta plataforma.

—Ten cuidado de no tropezar, no quisiera que te hicieras daño. ¡Je, je, je!

—Muy gracioso —rezongué.

Se me había quedado la boca seca y el corazón me latía como un martillo, pero no estaba dispuesto a demostrarle a Craik que estaba realmente asustado. Subí a la plataforma. Él subió detrás de mí, frotándose de placer las callosas y retorcidas manos.

—Ponte aquí, por favor —dijo, señalando un lugar de la plataforma donde se percibía la forma de una trampilla. ¡Craik se mostraba muy educado, ahora que ya estaba seguro de terminar conmigo!—. Muy bien, así. Y ahora, si no te importa, pásate esto por la cabeza. —Me dio el pesado lazo como si me estuviera ofreciendo un valioso regalo—. No seas tímido, solo tienes que bajar un poco la cabeza, así... ¡Vaya! ¿Qué ha sido ese ruido?

Se oía un fuerte timbre metálico procedente de un lugar indeterminado.

—Es algo que llevas en la mochila —gritó Craik—. ¿Qué es?

—¡No tengo ni idea! —respondí.

Yo no llevaba nada en mi mochila que pudiera hacer un ruido como ese. Y, desde luego, no era el sonido de llamada de mi teléfono móvil.

—Apágalo, sinvergüenza —ordenó Craik, dejando caer el lazo en el suelo—. ¿Qué jugarreta tienes preparada?

–No tengo ninguna jugarreta preparada, de verdad –dije mientras dejaba la mochila en el suelo.

Craik la abrió y rebuscó en el interior.

–¿Qué es esto? –preguntó sacando una cajita de madera que sonaba como un microondas.

–Solo es una caja vacía –repuse.

Clavé los ojos en el pequeño regalo que Philly me había hecho cuando la capitana Cortagargantas se me llevó de la fábrica de Jakeman. Estaba asombrado: esa cajita no había hecho ningún ruido nunca.

–No me lo creo –dijo Craik, desconfiado.

Entonces el timbre se hizo más fuerte y la cajita empezó a vibrar en las manos de Craik.

–¡Es una bomba! –chilló.

Aterrorizado, lanzó la cajita hasta un charco que había al otro lado del patio y se tiró al suelo cubriéndose la cabeza con los brazos. En ese momento, algo me golpeó en la espalda y me di la vuelta. ¡Imaginad cuáles fueron mi sorpresa y mi alegría al ver que, de las grises nubes que había sobre los árboles, colgaba una escalera de cuerda que se mecía al viento!

Una escalera de cuerda me golpeó en la espalda

—¡Yupiii! —exclamé.

Rápidamente cogí la mochila, me agarré a la escalera y empecé a trepar.

—¡No! ¡Vuelve aquí! —bramó Craik mientras se ponía en pie y corría hacia mí.

—¡Ni hablar! —grité.

Al ver que se acercaba, lancé una patada que le dio en el hombro y, como buen mono trepador que era, me encaramé velozmente por la escalera. En el momento en que empecé a hacerlo, la escalera de cuerda se elevó por el aire y me encontré sumergido en las densas nubes. Fue entonces cuando me pregunté de dónde venía esa escalera. ¿Habría salido de las brasas para caer en el fuego? ¡A lo mejor me estaba metiendo en las fauces de un monstruo devorador!

Cuando salí a la brillante luz del sol, al otro lado de las nubes, todavía oía los gritos de Craik, abajo. Miré hacia arriba y vi que me izaban hacia una oscura trampilla... ¡una trampilla que parecía pertenecer al mismo cielo! Cuando la hube atravesado, la trampilla se cerró debajo de mí y me encontré en la más absoluta oscuridad.

¡Adivinad quién era!

Aguanté la respiración y agucé el oído. Había un silencio mortal. Ya no se oían los gritos de Craik, ni tampoco el silbido del viento. Lo único que podía oír era el pulso latiéndome en las venas.

Empecé a sentirme nervioso. ¿Dónde había ido a parar? ¿Quizá me encontrara en el interior de algún horrible monstruo? Entonces oí un chasquido y estuvo a punto de parárseme el corazón. Un cuadrado de luz se abrió justo encima de mi cabeza y una cara cubierta de pecas me sonrió.

–¡Philly! –exclamé.

Era la nieta de Jakeman, que se había convertido en una de mis mejores amigas durante las aventuras que tuvimos al otro lado de la Gran Partición.

—¿Vas a quedarte ahí todo el día? —preguntó Philly con una sonrisa y ofreciéndome una mano.

Me agarré a ella. Philly me sacó del oscuro agujero y me encontré en una brillante cabina de un color azul pálido.

—Philly, ¿qué haces aquí? —le pregunté mientras nos dábamos un fuerte abrazo.

—He venido a rescatarte —repuso.

—Pero ¿cómo me has encontrado?

—Por la cajita, tonto —dijo Philly.

—¿La cajita? —me extrañé, un tanto confuso.

—La pequeña cajita de recuerdo que te di en la fábrica del abuelo.

¡Era Philly!

Supongo que te diste cuenta de que era un dispositivo de búsqueda —dijo Philly cruzándose de brazos y arqueando las cejas—. Te he seguido desde entonces, pero no ha sido hasta ahora que he podido conseguir un invento adecuado para venir a rescatarte.

—Ah, así que era un dispositivo de búsqueda —dije, comprendiendo por fin.

—¿Por qué te habría hecho un regalo, si no? —rio Philly.

Justo en ese momento oí un fuerte ruido, como de alguien que rascara al otro lado de las paredes de acero; una puerta automática se abrió silenciosamente y Perro Loco, el alocado canino

mecánico que encontramos
en la tumba de la momia,
entró en la habitación
provocando
un escándalo metálico
con sus patas. En cuanto
me vio, empezó a ladrar y
a menear la cola de tungsteno.

    —¡Perro Loco! —exclamé, feliz, y me agaché
para acariciarle el lomo—.

    ¡Tú también estás aquí! ¿Dónde está Jakeman?

    —Oh, está en la fábrica —explicó Philly—.
Alguien tenía que quedarse para cuidar de todo.
Dijo que yo era perfectamente capaz de llevar
a cabo esta misión sola, y además yo piloto
el Gravitador mejor que él. ¡Él es un piloto
precavido... el abuelo nunca te hubiera dado
alcance!

    —¿Así que estás totalmente sola? —pregunté.

    —Sí, excepto por Perro Loco... pero estoy en
contacto con el abuelo todo el tiempo a través
del móvil —dijo Philly.

    —¿Así que ahora estamos dentro del
Gravitador? —pregunté, observando la cabina.

    Las paredes eran curvas, y daba la impresión
de estar en el interior de un enorme huevo azul.

    —Exacto —repuso Philly—. Ven, te mostraré
dónde está todo.

El Gravitador

¡Es un milagro volador de Jakeman!

Pide el tuyo en el 07762

Patente pendiente

Boquillas difusoras para
la pintura antigravitatoria
y el agua jabonosa

Entrada principal

Puertas a la cocina y al baño
(una a cada lado del pasillo)

Escalera a bordo (plegable)

Invento de Jakeman aprobado

Jakeman
SI NO TIENE MI FIRMA
NO LO HICE YO
No acepte ningún otro sustituto

Depósitos de pintura
antigravitatoria

El Gravitador

La habitación en que nos encontrábamos
era bastante grande y brillante; las paredes eran
de color azul y muy suaves y lisas. Aparte de
un monitor de televisión que tenía forma oval
y que se encontraba en una de las paredes, y

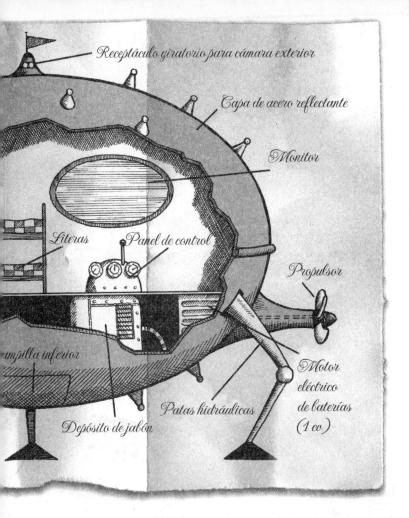

Receptáculo giratorio para cámara exterior

Capa de acero reflectante

Monitor

Literas

Panel de control

Propulsor

ampilla inferior

Motor eléctrico de baterías (1 cv)

Depósito de jabón

Patas hidráulicas

de un único mando de control debajo de este, solo había dos literas y una pequeña mesa plegable, todo construido con el mismo material brillante y azulado. En el techo, unos pequeños puntos de luz brillaban siguiendo una secuencia intermitente.

Bajo el suelo, por donde yo había entrado, se encontraban dos bidones de combustible, y un motor activado con unas baterías y conectado al propulsor, que estaba fuera. Al otro lado de la puerta automática y corredera había un corto pasillo con un lavabo a un lado y una pequeña cocina al otro. La entrada principal se encontraba al final de ese pasillo, y la puerta tenía un sistema de cierre como los que tienen los aviones.

—Parece muy normal, por ser uno de los milagrosos inventos de tu abuelo —comenté, sin poder soltar una enorme bolsa de cacahuetes tostados que había encima de la mesa. ¡Estaba hambriento después de mi temporada en prisión!

—¡Ah! Lo increíble del Gravitador es cómo funciona —repuso Philly tomando los mandos.

—¿Hmmmf? —pregunté con la boca llena de cacahuetes.

—Se trata del último fantástico descubrimiento del abuelo —explicó mientras dirigía la silenciosa nave por el cielo y comprobaba la evolución en el enorme monitor, que mostraba una imagen en movimiento del mundo exterior—. Hace poco, mientras mezclaba líquidos en el laboratorio y los calentaba en un quemador Bunsen, sucedió una increíble reacción química. Había añadido un poco de saliva cristalizada de cuco a la mezcla y el líquido había empezado a formar espuma, como una bañera llena de burbujas. ¡Entonces el líquido salió flotando del tarro y empezó a desplazarse por la habitación! El abuelo fingió que ya sabía que eso iba a suceder, pero mientras daba caza a esa masa de espuma, le cayó una gota de líquido sobre su vieja gorra y esta empezó a flotar por el aire. ¡Esta vez el abuelo no pudo disimular su sorpresa, porque se dio cuenta de que había inventado un líquido antigravitatorio! Bueno, resumiendo, el abuelo añadió esa espuma a una pintura especial que no se seca. ¡Luego pintó la nave con esa pintura y así consiguió que pudiera flotar por el cielo!

La gorra del abuelo flotó por la habitación

—¿Así que estamos flotando gracias al poder de esa pintura antigravitatoria? —exclamé, casi atragantándome con los cacahuetes.

—Exacto, y puedo controlar la altura con esta palanca —dijo Philly—. Si la empujo hacia delante, una serie de pequeños difusores cubren la superficie de la nave con una fina capa de líquido extra y... ¡arriba!

Para demostrarlo, Philly empujó la palanca hacia delante y salimos disparados hacia arriba en el cielo.

–SUBIENDO –graznó una vocecilla procedente del ordenador de a bordo–. MIL PIES, DOS MIL PIES...

¡Uau! Era como estar en un ascensor superveloz. De repente, tropecé y todos los cacahuetes cayeron al suelo.

–¡Oh, Charlie! –exclamó Philly–. ¡Harán falta años para limpiar esto!

Tiró de la palanca y la nave regresó a la altura normal de viaje.

–BAJANDO –dijo la voz.

–Si tiras de la palanca así, cubres la superficie de la nave con un agua caliente y jabonosa que lava un poco el líquido antigravitatorio, y por eso bajamos –explicó Philly–. Vamos, te ayudaré a limpiar este desastre.

Una avería

–¿Y por qué no vi el Gravitador cuando me rescataste? –pregunté mientras recogía cacahuetes del suelo de la cabina–. Lo único que vi fue la trampilla abierta. ¡Parecía una puerta abierta al cielo!

–Eso es porque la pintura del abuelo tiene millones de cristales altamente reflectantes que reflejan el color del cielo, y así el Gravitador es prácticamente invisible –explicó Philly–. Es genial, pero eso también significa que, a veces, es un poco difícil de encontrar. He colocado una pequeña bandera en el techo para que sea más fácil de localizar cuando está en el suelo.

–Es increíble –dije, mirando en el monitor el paisaje que íbamos dejando atrás–. ¿Y ese pequeño motor tiene fuerza suficiente para hacernos avanzar a esta velocidad?

–Oh, sin problema –repuso Philly–. Porque no pesamos casi nada. Es una forma de transporte muy ecológica.

Las nubes ya se habían dispersado y vi que volábamos por encima de una región de llanas mesetas rocosas.

–¿Está muy lejos la fábrica? –pregunté.

–No mucho. Solo tendrás tiempo de contarme lo que sucedió desde que Cortagargantas te raptó –respondió Philly, mientras manejaba la dirección del Gravitador con un pequeño volante que había en la parte superior de la palanca de mando–. Ve a poner la tetera al fuego y me lo cuentas todo mientras tomamos una taza de té.

El pequeño volante

En la pequeña cocina, preparé una tetera, cogí un paquete de galletas de moscas aplastadas y corrí a la cabina de nuevo.

–No vas a creer la aventura que he tenido –empecé a decir, mientras me sentaba a la mesa plegable y Philly se tomaba el té ante los controles.

Y empecé a contárselo todo sobre la ballena, el bosque de las calaveras, la guerra entre tejones y ratas, el encuentro con papá... pero solo había llegado a la mitad del relato cuando, de repente, ¡Grrnnzz!, el cuadro de mandos emitió un terrible chirrido y empezamos a precipitarnos hacia el suelo.

–¡No me gusta nada este ruido! –exclamó Philly.

Empujó y tiró de la palanca, pero aparte de emitir otro penetrante chirrido, no sirvió de nada más. Continuábamos descendiendo.

–Algo ha estropeado la palanca –dijo–. No consigo que ganemos altura otra vez. Será mejor aterrizar y echar un vistazo.

¡Despegue!

Esperamos a que el Gravitador bajara flotando con suavidad hasta aterrizar en una de las mesetas. Philly cogió su caja de herramientas y desatornilló el lateral del cuadro de mandos. Luego empezó a observar los cables y las conexiones, comprobando su estado con el extremo del destornillador.

—Parece que algo la está bloqueando, pero ¡que me aspen si lo veo! —dijo—. Será mejor que eche un vistazo al panel de acceso, fuera. Quizá se ha metido un poco de arenilla en el acoplamiento flexible de cadenas. —Sacó el destornillador, abrió la puerta principal, desenrolló una escalera de cuerda y bajó por ella. Perro Loco se quedó dentro, mirándome con cara de curiosidad.

—No es nada preocupante, amigo —lo tranquilicé, dándole unas palmaditas.

Se empezaron a oír ruidos metálicos fuera, y regresé a la cabina.

«Típico», pensé. Solo faltaban unos cuantos kilómetros para llegar a la fábrica de Jakeman, y tenía que pasar esto. Agité un poco la palanca del panel de controles y me senté para echar una mirada dentro.

«Vaya —pensé—. ¿Qué es esto?» Cogí la linterna de mi equipo de explorador y la enfoqué hacia el interior del panel. Había algo atascado justo en el codo de la junta de la palanca. Di un fuerte golpe en el lateral de la caja de los controles, pero no ocurrió nada. ¡Le di un golpe más fuerte, y entonces un cacahuete cayó y rodó por el suelo!

«¡Uau! Parece que todo ha sido por mi culpa. Será mejor que Philly no lo sepa...»
Me comí la prueba del delito y agarré la palanca.

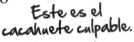

Este es el cacahuete culpable.

«Comprobaré si ya está solucionado –me dije a mí mismo mientras la empujaba. Seguía muy dura–. Todavía debe de quedar un trocito de cacahuete», pensé, empujando la palanca con más fuerza. ¡CLANG! ¡La palanca se movió y el Gravitador salió disparado hacia arriba!

¡Pam! La nave despegó a la velocidad de un avión de caza, y caí al suelo.

–SUBIENDO –dijo el ordenador–. MIL PIES...

–¡Oh, socorro! –grité–. ¡Philly, socorro!

Pero ¡Philly se había quedado en tierra!

–¡Guuuuiuuuu! –empezó a llorar Perro Loco mientras corría de un lado a otro presa del pánico.

Me puse en pie y sujeté la palanca. Ahora estaba descoyuntada, se podía mover en todas direcciones sin hacer nada. ¡No podía hacer que el Gravitador descendiera!

–DOS MIL PIES Y SEGUIMOS SUBIENDO –me informó la voz del ordenador con absoluta tranquilidad.

«Vaya, genial, ¿y ahora, qué?», me pregunté

Hasta el borde del espacio y más allá ☆

La puerta corredera se estaba cerrando y abriendo sola, una y otra vez, suissh, suissh. El viento soplaba dentro del pasillo y papeles, vasos, sábanas y almohadas, todo lo que no estaba atado, salió volando por la cabina y el pasillo y desapareció por la puerta principal.

–¡PELIGRO, PUERTA SIN SEGURO! ¡PELIGRO, PUERTA SIN SEGURO!

El Gravitador se agitaba y daba bandazos de una forma alarmante. ¡Tenía que cerrar la puerta antes de que todas las junturas se despegaran y la nave se descompusiera en el aire!

Recorrí con dificultad el pasillo luchando contra el viento y, al fin, conseguí coger la manecilla de la puerta. ¡Uau! De repente, el viento me hizo perder pie y me arrastró al otro lado de la puerta. Pero todavía me sujetaba a la manecilla con una mano, así que quedé flotando en el aire como una bandera.

–¡Socorro! –grité.

El viento rugía a mi alrededor, y supe que no podría aguantar mucho tiempo.

–CINCO MIL PIES Y SUBIENDO –anunció el pequeño altavoz.

—Échanos una mano —bramé con fuerza.

Perro Loco apareció al otro lado de la puerta y apoyó las patas delanteras en la jamba.

«No conseguirá alcanzarme», pensé.

¡Pero entonces, para mi sorpresa, el cuello metálico del chucho empezó a extenderse como un telescopio! Se alargaba centímetro a centímetro, y al final su cabeza llegó a la altura de la mía. Y de repente, como si fuera una serpiente muy extraña, mordió el cuello de mi camiseta con sus dientes fuertes y metálicos.

Llegó justo a tiempo, porque la mano me falló y me solté de la manecilla de la puerta. Hubiera descendido en caída libre si mi amigo perruno no me hubiera sujetado con fuerza. Perro Loco empezó a encoger el cuello y me llevó de vuelta al interior de la nave voladora. Rápidamente, cerré la puerta con ambos pies; Perro Loco lo hizo con su potente cabeza: ambos empujamos con fuerza hasta que, al fin, oímos el ruido del cierre, el viento cesó y el Gravitador dejó de sufrir sacudidas.

Me tumbé en el suelo.

—Gracias, Perro Loco —le dije, secándome el sudor de la frente.

Pero ¡continuábamos ascendiendo por el aire como un cohete! Regresé a la cabina y justo en ese momento empecé a oír un silbido procedente de las paredes.

–ACTIVADO EL SUMINISTRO DE URGENCIA DE AIRE –anunció el Gravitador.

«Uau, debemos de estar muy altos», pensé, mirando el monitor. De repente, la pantalla se llenó de interferencias y, al cabo de unos minutos, la nave empezó a agitarse como una tetera hirviendo. Conseguí llegar hasta una de las sillas y me senté, agarrándome a él con ambas manos. Las sacudidas eran cada vez más fuertes, y el asiento empezó a moverse por el suelo.

–¡PELIGRO, REDUCIR LA ALTURA DE INMEDIATO!

–¡Socorro! –grité.

–Uuuuuuuu –aulló Perro Loco.

¡Me sentía como si esas sacudidas me hubieran descompuesto por dentro! Entonces, de repente, las sacudidas cesaron y se hizo un silencio absoluto. La pantalla del monitor se quedó negra. Empezaba a pensar que se había estropeado por completo, pero, sin previo aviso, un rayo de fuego cruzó la pantalla.

«¿Qué diablos ha sido eso?», me pregunté.
Entonces vi que la pantalla negra se llenaba
de unos puntitos blancos y brillantes... y supe
dónde estaba. El rayo de fuego había sido un
asteroide; los puntos blancos y brillantes eran
estrellas.

–LA POSICIÓN NO ESTÁ REGISTRADA
–anunció el altavoz.

¡Debe de ser el espacio! ¡Socorro!

¡Atrapado en el espacio!

Volví a accionar la palanca del panel de
control, pero había quedado completamente
inservible. De todas formas, aunque funcionara,
en esa situación no serviría de nada. En el
espacio no hay gravedad, así que una nave
antigravitatoria no tendría ningún sentido.
Tampoco podía hacer girar el Gravitador para
regresar a la tierra, pues el pequeño timón se
había estropeado.

¡Rayos y centellas! El impulso inicial de la nave nos había mandado al espacio a una velocidad increíble; la nave no tenía frenos y no se detendría hasta llegar al fin del espacio. ¡Ya podía olvidarme de tener cuatrocientos años de edad: a no ser que fuera capaz de reparar el Gravitador yo solo, me quedaría ahí prisionero durante cuatro mil años!

De repente tuve una idea preocupante. ¡Philly y Jakeman debían de haber cargado el Gravitador con la comida necesaria solamente para la misión de rescate, no para un viaje espacial! Corrí a la cocina y abrí los armarios. ¡Oh, genial! Esto es de lo que disponía para mi sustento en el espacio:

Una botella de soda
Una lata de sardinas (caducada)
Un tarro de fideos con sabor a curry (excelente)
Una tableta de chocolate (¡solo quedaba una cuarta parte: gracias, Philly!)

—Menos mal que no necesitas comer —le dije a mi chucho mecánico.

Miré el enorme monitor. El cielo negro parecía perforado por minúsculas estrellas plateadas y, a la derecha de la pantalla, se veía el planeta Tierra brillando como una hermosa canica de mármol

en medio de la inmensidad del espacio. «Rayos
–pensé–, quizá seré la decimotercera persona en
aterrizar en la Luna.» ¡Vaya una última aventura!
Pero entonces vi que la Luna aparecía en la
pantalla, y tuve que olvidarme de ello, pues me
di cuenta de que me encontraba mucho más
lejos de lo que habían llegado los astronautas de
la nave Apolo. ¡Socorro!

Tenía que hacer algo. No quería viajar hasta
el límite del infinito en esa lata de hojalata.
Lo único que se me ocurrió fue abrir el panel
de control e intentar arreglar el mecanismo de
dirección para, por lo menos, conseguir que la
nave diera la vuelta.

Ahora hace seis horas que estoy viajando por
el espacio. He dejado todos los mecanismos del
interior del panel de control en el suelo: parece
que un perno está partido, y que se ha roto una
correa que conecta algunas de las ruedas. Quizá
sea capaz de arreglarlo, pero no esta noche. De
repente me siento muy cansado y soñoliento.
Quizá sea un efecto producido por el hecho de
estar en el espacio, pero me cuesta mantener los
ojos abiertos.

Terminaré de escribir esto y luego descansaré
un poco. Me pregunto dónde estará Philly
ahora. Espero que haya conseguido regresar
a la fábrica de Jakeman sin problemas. ¡Ja!
¡Seguramente esté disfrutando de una cama

calentita y cómoda, con una taza de chocolate caliente, mientras yo estoy aquí esforzándome por encontrar la postura en esta dura litera, sin mantas ni almohadas, sorbiendo una cola caliente! Por no hablar del chucho mecánico, enroscado a mis pies mientras ronca y silba como una vieja cafetera. ¡Buenas noches!

El ataque del pez estrella

Siempre creí que el espacio se llamaba espacio porque no había nada en él. Pero bueno, eso no es así porque hay un montón de cosas flotando por todas partes, ¡y esta mañana he tenido un encuentro casi mortal!

Me había terminado el pote de fideos para desayunar y estaba a punto de volver a montar el cuadro de mandos. Había encontrado un perno de recambio para el que se había roto en la caja de herramientas de Philly y había cortado un trozo del cordel que llevaba en la mochila. Lo estaba atando de manera que pudiera sustituir la correa de dirección mientras Perro Loco, sentado a mi lado, observaba con la cabeza ladeada mis esfuerzos por ser un buen mecánico. Y de repente oí un ruido extraño, *plafs*, que hizo temblar la cabina metálica.

Miré el monitor, pero aparte de un montón de estrellas, no se veía nada. Entonces me di cuenta de que las estrellas se hacían cada vez más grandes; ¡parecía como si vinieran directas hacia nosotros! Despedían unos destellos verdes y púrpuras, y cuando se acercaron más me di cuenta de que esas cosas tenían unas horribles bocas redondas justo en el centro. Unos dientes como sierras sobresalían entre unos labios enormes. ¡No eran estrellas: eran una especie de peces estrella extraterrestres del tamaño de una rueda de bicicleta!

¡Kerplaf! Habíamos sufrido otro choque. ¡plaf, plof, pluf! El Gravitador empezó a balancearse de un lado a otro como una mecedora, y los mecanismos del panel de mandos, todos los destornilladores, juntas, clavos y piñones que yo había ordenado cuidadosamente en el suelo rodaron por todas partes. Algunos de ellos cayeron por una rejilla que rodeaba el borde del suelo de la cabina. «Vaya, genial –pensé–. ¡Ahora sí que estoy metido en un buen lío!»

Cogí el mando que se encontraba al lado del monitor y giré la cámara del exterior de la nave, que enfocó el casco del Gravitador. Un pez estrella se encontraba pegado a él como un pegote de gelatina.

Entonces oí un terrible chirrido, y me di cuenta de que el pez estrella había empezado a comerse el metal del casco con sus dientes de sierra. ¡Oh, rayos, si conseguía perforar el casco, todo el aire del interior se escaparía y yo estaría acabado! Corrí a la cocina y rebusqué por todos los armarios, tirando al suelo cuchillos y tenedores, trozos de cable para fusibles y lápices gastados. Por fin encontré algo que podía resultar útil: el librito de instrucciones del Gravitador de Jakeman.

¡Esta noche nos freímos!

El chirrido procedente del exterior se oía cada vez con más fuerza, y otros peces estrella aterrizaron sobre el casco de la nave. Ojeé rápidamente el folleto, leyendo a toda velocidad los títulos:

¡Plaf!

Puesta en marcha del motor: no sirve

Utilización de la palanca antigravitatoria: ¡ya no tengo ninguna!

Instalaciones de cocina: oh, vamos, tiene que haber algo útil en este libro.

Por qué no hay que subir a más de veinte mil pies con el Gravitador: ¡vaya, ahora descubro que este trasto ni siquiera está diseñado para salir al espacio!

Sistema de calefacción: ¿para qué me sirve esto? Pero, un momento...

Me senté y leí a toda prisa el capítulo referente a la calefacción central del Gravitador. Funcionaba calentando el fuselaje, y había una advertencia destacada en un recuadro separado: «La superficie exterior puede calentarse mucho». ¡Sí, eso funcionaría!

Localicé el termostato dentro de uno de los armarios de la cocina y lo coloqué en posición MÁX. Luego me senté a esperar, rezando para que los dientes del pez estrella fueran menos afilados de lo que parecían. No tuve que esperar mucho: al cabo de un par de minutos, la cabina empezó a calentarse. Cuando hubieron transcurrido cinco minutos, la temperatura era ya tropical, y tuve que quitarme la camiseta. Unos cuantos

Me quedé en calzoncillos solamente.

minutos después solo llevaba puestos los calzoncillos, y el sudor me cubría la espalda. ¡Perro Loco me miraba como si yo hubiera perdido la cabeza!

Por la pantalla del monitor vi que el pez estrella empezaba a retorcerse a medida que el fuselaje se ponía caliente. Levantaba los brazos, uno a uno, en un intento por enfriarlos. El chirrido cesó y, cuando el calor fue excesivo, algunos de los peces estrellas se soltaron de la nave, emitiendo unos pequeños chillidos como de pájaro. Los más tercos permanecieron pegados al casco, pero ¡acabaron asados como chuletas en una barbacoa!

Solté un suspiro de alivio y apagué el termostato. Al cabo de unos minutos volví a vestirme, pues la temperatura había bajado. Era una pena que no hubiera podido cazar a esos bichos: ¡seguro que un pez estrella a la barbacoa tenía que ser muy sabroso!

Pero si creía que mis problemas más urgentes se habían solucionado, estaba equivocado.

De repente hubo otro fuerte choque. La cabina vibró como un reloj de alarma y en el techo apareció una gran abolladura. ¡BUUUM! Miré el monitor para observar el espacio exterior. ¡Oh, socorro! Unas piedras encendidas al rojo vivo pasaban a toda velocidad por todos lados. Nos habíamos metido directamente en una tormenta de meteoritos.

Perro Loco gemía mientras el Gravitador recibía golpes por todas partes. Las paredes se llenaban de abolladuras... y yo no podía hacer nada al respecto. No podía alejar la nave de la tormenta. Estábamos a merced de los elementos. Ahora sabía cómo se debía de sentir uno dentro de esas bolas de cristal llenas de paisajes nevados que sirven de decoración.

Perro Loco y yo nos echamos al suelo; me sujeté a la pata de una de las literas para dejar de ir de un lado a otro de la cabina, y Perro Loco hundió la cabeza en mi regazo, temblando de miedo. Recé para que el Gravitador aguantara mientras daba bandazos por el espacio como una simple mosca.

Y entonces, tan abruptamente como había empezado, todo volvió a estar en silencio. Era increíble que hubiéramos resistido a esa tormenta, puesto que el Gravitador no estaba diseñado para viajar por el espacio exterior.

—Lo hemos conseguido, Perro Loco —exclamé, dándole un abrazo—. Ahora vamos a ver si recuperamos todas las piezas del cuadro de mandos y lo arreglamos.

Pero justo en ese instante, noté que el Gravitador cambiaba de dirección.

—Vaya, ¿qué sucede ahora? —dije.

No cabía duda: notaba que el Gravitador se dirigía hacia la izquierda, como si un imán gigante lo atrajera.

Volví a girar la cámara del exterior hasta que vi la zona del espacio hacia la que nos dirigíamos. Y entonces solté una exclamación de terror. Allí delante, cerniéndose como una enorme y gaseosa naranja giratoria, había un inmenso planeta: y era evidente que habíamos caído dentro de su campo gravitatorio.

—¡Oh, socorro! —grité—. Ahora sí que estamos listos, Perro Loco.

¡Porque, quisiéramos o no, íbamos a hacer una parada que no estaba programada!

Un gaseoso planeta giratorio

Un aterrizaje de impacto

La nave se acercaba a ese enorme globo a toda velocidad, dibujando un enorme arco en el espacio. En el momento en que penetramos en la atmósfera del planeta, la nave empezó a temblar y el monitor volvió a quedarse en blanco y comenzó a emitir chasquidos. Pero pronto todo hubo pasado. La pantalla mostró un paisaje de ondulantes colinas y de montañas amarillas, bosques azulados y amplias extensiones de blancas aguas heladas.

–DESCENDIENDO. VEINTE MIL PIES; QUINCE MIL PIES... –comunicó el ordenador de a bordo.

«¿Por qué no continuamos flotando en el aire?», me pregunté. Quizá el pez estrella había limpiado la nave de pintura antigravitatoria. Continuamos bajando hasta que nos pusimos a la altura de las redondeadas cumbres de unas colinas; la nave iba a tal velocidad que parecía un misil teledirigido.

–¡PELIGRO! ¡PELIGRO! ¡CUIDADO, NOS VAMOS A ESTRELLAR! –bramó el ordenador, bastante nervioso.

–Prepárate, Perro Loco –grité.

¡BUUM! Chocamos contra el suelo y salí disparado hacia arriba, golpeándome la cabeza en el techo. Luego la nave rebotó y otra vez, ¡BUUM!, volvimos a chocar contra el suelo. La nave estuvo rebotando a lo largo de unos cuantos kilómetros como una pelota de críquet. Al final, después de dar unas cuantas vueltas, se detuvo. El Gravitador se meció un rato hasta que se quedó inmóvil.

–¡OH, FANTÁSTICO! ACABAS DE LLEGAR Y YA HAS CHOCADO –exclamó el ordenador, con tono de acusación.

–¡Auuuuuuuuh! –aulló Perro Loco, agachado en el suelo de puro miedo.

–No te preocupes, chico –le dije, acariciándole la cabeza–. Ya está. Pero ahora tenemos que averiguar si puedo respirar en la atmósfera de fuera. Si no puedo, todo habrá acabado para mí. Tú, al ser un robot, estarás bien. La cuestión es cómo averiguar si puedo respirar fuera sin salir fuera. Quizá el aire sea un auténtico veneno.

¡Crash! De repente, el Gravitador sufrió una fuerte sacudida y se derrumbó a mi alrededor con un estruendo metálico y, al momento, me encontré de pie al aire libre en medio de un montón de chatarra metálica.

–Supongo que esta era una manera de averiguarlo –dije, inspirando a pleno pulmón.

¡Me alegra poder decir que no sufrí ningún patatús ni padecí una agonía de asfixia! El aire era muy húmedo y cálido, y olía como un estanque de agua podrida, pero no era demasiado terrible.

–Bueno, por lo menos puedo respirar –le dije a Perro Loco.

Recogí la mochila de debajo de los restos de las literas y miré a mi alrededor, valorando el desastre. No quedaba nada del motor del Gravitador, ni del propulsor. Los tanques de combustible se habían roto completamente y la mezcla de líquido antigravitatorio se elevaba por el aire.

–¿Y ahora, qué? –murmuré, consciente de que me encontraba completa y totalmente atrapado–. Supongo que será mejor que busquemos algún refugio por si hay algún extraterrestre merodeando por aquí. –Luego, al notar que mi estómago rugía, añadí–: Y averiguar si hay algo comestible en este planeta.

Mi primera noche en el Planeta Naranja

Me he refugiado en una cueva que he encontrado en el lateral de una pequeña colina, y la noche se aproxima. No parece que el sol se ponga, pero el cielo ha cobrado un tono apagado, como si una lámpara en el cielo se hubiera graduado al mínimo. El planeta está en un silencio absoluto; no he visto ni he oído ninguna señal de monstruos ni de extraterrestres. En el cielo no hay ningún ser volador, y ningún animal se posa en las retorcidas y enredadas ramas de estos extraños árboles azules.

Encontré una cueva en las ondulantes colinas

Tampoco he encontrado nada para comer, y tendré que volver a las ruinas del Gravitador para comerme la lata de sardinas. También me he llevado la botella de soda y algunas de las herramientas de Philly por si pudieran serme de utilidad en algún momento.

La experiencia más extraña en este planeta es caminar. No es igual que en la Luna, donde hay menos gravedad y se pueden dar saltos de seis metros sin esforzarse. Aquí parece que la gravedad es igual que en la Tierra, pero cuando me alejé de las ruinas de la nave, ¡los pies se me hundieron en el suelo hasta las rodillas! El suelo es blando y elástico; es como caminar por encima de un trampolín o por un merengue gigante, y es muy cansado. He tardado años en recorrer los ochocientos metros hasta estas colinas, que parecían ofrecerme un escondite de las miradas indeseadas. Por suerte, cuando me acercaba a ellas, el suelo se hizo más firme y al final era casi rocoso, así que pude caminar con normalidad.

Todo el planeta tiene un característico tono anaranjado que parece teñir incluso el aire, y cuando la luz es brillante, es como mirar a través de una hoja de metacrilato de color naranja. Todo parece cubierto de una pegajosa capa de humedad, y tengo la ropa terriblemente mojada y pegada al cuerpo.

He pasado unas cuantas horas inspeccionando los alrededores, pero no hay mucho que ver. Las colinas silenciosas se alejan en la distancia, y en el horizonte se ve una mancha borrosa que parece un bosque azul.

¿Me he encontrado alguna vez en una situación peor que esta? No lo creo: estoy atrapado en un planeta desconocido, a años luz de mi casa, sin más compañía que la de un robot canino bastante bobo. ¡El estómago me ruge por culpa del hambre y creo que tendré suerte si consigo sobrevivir! Le he pedido a mi fiel Perro Loco que monte guardia mientras duermo un poco. Espero que todo me parezca mejor por la mañana.

La fruta del pan tostado

Cuando desperté, el día era luminoso y nuevo. ¡Miré el reloj de mi móvil y me di cuenta de que había dormido casi diez horas! La luz anaranjada del día anterior había desaparecido, y en su lugar la luz de la mañana le confería a todo un brillo pálido y de un tono alimonado. El ambiente continuaba cargado de humedad, pero era mucho más fresco y me hizo sentir positivo y listo para entrar en acción.

Lo primero que hice fue intentar comunicarme con mamá a través del móvil. Quería saber si estaba bien después de mi viaje sorpresa a casa. La he llamado muchas veces durante mis aventuras, pero cada vez que conseguía hablar con ella, la conversación era siempre la misma. ¡Ella siempre me está esperando para merendar, a pesar de que hace cuatrocientos años que me fui! ¿Pasaría lo mismo ahora? Marqué los números, apreté la tecla de llamada y esperé: nada. Maldición. ¡No podría saber cómo se encontraba... no se oía ninguna señal de llamada!

«Oh, bueno –pensé–, lo intentaré en otro momento.» Me tragué la última sardina fría, me colgué la mochila a la espalda y salí a explorar.

En cuanto me alejé de las colinas, el suelo se hizo esponjoso y blando otra vez, así que di marcha atrás y subí por una cresta rocosa que me llevó a dar una gran vuelta. Sabía que podría encontrar el camino de regreso siguiendo la misma cresta en dirección contraria, así que avanzaba con confianza. Perro Loco corría a mi lado, y su cola de acero vibraba con un temblor eléctrico.

Al cabo de un rato, la humedad me caló la ropa y el pelo se me pegó en la frente. ¡Era terrible, y empecé a preguntarme si al final no acabaría desarrollando unas agallas!

Al final, cuando llegué al pie de una de las colinas, vi un grupo de matorrales de color púrpura. De sus ramas colgaban unos frutos enormes y brillantes, con una forma como de lágrima gigante. «¡Fruta! –pensé–, ¡o quizá unas nueces gigantes!» Corrí hacia ellos y, con la navaja, corté una de esas esferas de color violeta

47

de una de las ramas. La corté y, al abrirla, vi
que era carnosa y que tenía una pulpa roja y
brillante. Se parecía un poco a una sandía. Tenía
un olor delicioso y di un bocado para probar...
¡Ñam, ñam!

Vi unos frutos que tenían forma
de lágrima, ¡ñam ñam!

Sé que debería haber esperado a ver si
me daba dolor de barriga o si tenía ganas
de devolver, o si empezaba a tener visiones
extrañas, pero estaba tan hambriento que no
pude evitarlo y continué comiendo hasta que
me hube tragado hasta el último bocado.

—Es delicioso —le dije a Perro Loco, soltando

un eructo de satisfacción–. ¡Sabe igual que una tostada de pan!

¡Me sentía muy aliviado, pues uno de mis problemas más urgentes estaba solucionado: no me iba a morir de hambre!

Abrí otra de las frutas y me la comí. Esta era más verde por dentro y tenía un sabor a tostada con queso. Era realmente sabrosa, así que cogí unas cuantas más y las guardé en la mochila.

–Vamos, Perro Loco –le dije a mi chucho metálico, que en ese momento olisqueaba las pieles de las frutas que había en el suelo–. Tenemos que averiguar si este planeta está habitado. Si es así, ¡quizá me puedan ayudar a construir una nave espacial para regresar a casa!

Una semana después

Hasta el momento no hemos encontrado nada, y empiezo a estar un poco preocupado. ¿Ya está? Quizá vaya a quedarme atrapado en este vertedero húmedo y desierto, sin nadie con quien hablar excepto mi perrito mecánico, hasta que me convierta en un viejo barbudo y lunático. Es fantástico que Perro Loco esté conmigo; creo que ya me habría convertido en un despojo balbuceante de no ser por él, pero

¡tampoco es que sea el mejor conversador del mundo! Nunca se le ocurre ningún plan... aunque, a decir verdad, hoy ha encontrado un montón de fruta para mí.

¡Un despojo balbuceante!

Dos semanas después

Todavía no he visto a un solo ser viviente, y empiezo a estar un poco chiflado. He descubierto uno de los lagos blancos que había visto desde el cielo y he llenado la botella que llevo en mi equipo de explorador. Tiene un sabor delicioso, es un agua helada, clara y de sabor dulce, igual que un granizado.

Intenté reconstruir el Gravitador, pero lo tuve que dejar como una causa perdida: si antes tenía la forma de un huevo perfecto, ahora parece más bien una patata vieja y retorcida, y puesto que no tiene ni motor ni sistema antigravedad, no es más que un cascarón vacío.

He empezado a hacer más acogedora mi cueva. Con el diente de megatiburón que llevo en mi equipo de explorador, serré un largo rectángulo en el suelo blando y lo llevé hasta aquí para que me sirviera de colchón. ¡Es muy cómodo! Luego, durante un paseo, encontré una extraña flor de un brillante color amarillo que se gira siguiendo el sonido de mi voz, y la he puesto en la botella vacía de Coca-Cola, encima de un estante de piedra, para que decore un poco el espacio.

¡También he dispuesto un rincón para pinturas! He mezclado un poco de polvo naranja con agua para preparar la pintura y he decorado las paredes con retratos de mis amigos. Hasta ahora he dibujado al rinoceronte propulsado por vapor, a Philly, a Renacuajo, y a Coge y Tira.

Las noches son muy frías, y puesto que no tengo ninguna manta, he arrancado todas las hojas de uno de los árboles azules para poder cubrirme con ellas. Ahora estoy debajo de ellas, bastante cómodo, y observo el silencioso paisaje extraterrestre que tengo a mi alrededor. El cielo tiene una luminiscencia suave, como si fuera el enorme cristal esmerilado de una bombilla. Aquí todo es muy extraño... Me pregunto cuán lejos estoy de casa y si alguna vez podré regresar. Espero que pronto suceda algo, porque si no, este enorme y vacío planeta puede ser un poco aburrido.

Lagartos saltarines: ¡un encuentro de lo más extraño!

¡He hablado demasiado, pues no esperaba que sucediera nada de lo que ha sucedido! Ahora estoy en un sótano oscuro y húmedo, ¡escondido de las criaturas de aspecto más ridículo que haya visto nunca! Sí, hay vida en este planeta... ¡y ahora mismo desearía que no la hubiera!
Os voy a explicar lo que sucedió.

Al final de una mañana de descanso, Perro Loco y yo salimos como de costumbre para buscar comida y para explorar un poco más el planeta. Seguimos un camino de suelo duro y estuvimos caminando kilómetros y kilómetros, hasta que mis ropas se empaparon a causa de la humedad. «Tengo que vigilar a Perro Loco –pensé, mientras el chucho mecánico correteaba por entre las piedras–, pues las partes metálicas de su cuerpo empiezan a tener óxido. Si no tengo cuidado, se quedará completamente encallado.»

Proseguimos por el pie de una colina que se elevaba ante una amplia llanura y, entonces, Perro Loco levantó las orejas.

—¿Qué sucede, muchacho? —susurré—. ¿Has oído algo?

—Uuuuh —gimoteó Perro Loco.

Entonces lo oí. Era un ruido como el de una regla al golpear una mesa, como un chasquido de algo elástico al golpear una superficie dura. Nos escondimos tras una roca anaranjada y, de repente, una criatura pequeña y rarísima apareció dando botes por detrás de unas piedras.

Parecía una salchicha gorda y de color verde. Su cuerpo tendría un metro de longitud y en uno de los extremos tenía unas antenas blandas, como de caracol, rematadas por dos ojos. No tenía brazos ni piernas, y se impulsaba encogiendo el cuerpo y saltando, como si fuera un muelle, ¡boing!, saltando en el aire. ¡Boing, boing, boing! El animal no cesaba de dar saltos hacia delante mientras miraba, frenético, a su alrededor.

—Está asustado —murmuré—. Está buscando un lugar donde esconderse.

—¡Guau! —ladró Perro Loco, meneando la cola rápidamente.

Justo cuando iba a saltar hacia el bicho, pude sujetarlo por el collar.

—¡No, Perro Loco, quieto! —ordené.

Pero no dejaba de gemir... el pobre perro debía creer que su sueño se había hecho realidad: ¡allí delante tenía un palo que se lanzaba solo!

—¡Shh! Algo más se acerca —susurré, pues oía el sonido de unos pesados pies contra el suelo: *¡pum, pum, pum!*

El animal salchicha entró en pánico y salió saltando estúpidamente hacia el claro. En ese momento, unas cosas enormes, desgarbadas, mentecatas, patosas y parecidas a lagartos aparecieron por el llano, muy cerca de donde estábamos escondidos. Parecían personajes chiflados de dibujos animados, con unas grandes orejas de color naranja y una cresta de color púrpura en la cabeza. Sus cuerpos eran gordos y redondos, cubiertos de escamas, y tenían las piernas cortas y unas colas muy gruesas. Esos seres eran tan altos como yo, y me parecía que tenían un aspecto bastante cómico... pero entonces uno de ellos abrió la boca llena

de baba para gritar y ya no me parecieron nada
graciosos. En esas cavernosas bocas carmesíes
tenían unos dientes largos y ponzoñosos de los
que goteaba una saliva que parecía moco. Aquí
tenéis un esbozo de uno de ellos:

El animal salchicha dio unos saltos por el llano mientras chillaba, presa del pánico. Entonces, como si fueran en manada, esos lagartos extraterrestres se lanzaron a por él. «Pobrecito», pensé, pero antes de que tuviera tiempo de encontrar la manera de ayudarlo, el lagarto que iba en cabeza sacó una larga lengua, como la de un camaleón, agarró a su presa con ella y ¡se tragó a la pobre salchicha entera!

—¡Ahh! Sssss, oi, oi oi —se carcajearon los lagartos, dándose palmadas en la espalda con sus manos palmeadas y unas uñas como garras.

—¡Grrr! —amenazó Perro Loco con un gruñido que le salía de lo más profundo de la garganta. Estaba claro que el aspecto de esos extraterrestres le gustaba tan poco como a mí.

—¡Shh! —susurré—. Te van a oír.

Pero ya era demasiado tarde, pues una de esas bestias escamosas subió saltando la cuesta en que estábamos escondidos y sacó la cabeza por encima de nuestra roca.

¡Vamos de caza! ¡Hala!

Ahogué un grito, y Perro Loco retrocedió sin dejar de ladrar de miedo. Entonces, para mi sorpresa, ese lagarto de lengua púrpura siseó:

—¡Esssso! ¿Qué esss essso? ¿Dosss invasssoresss? Sssí.

–No, no; no somos invasores. Choqué contra vuestro planeta... y no podemos irnos. Me llamo Charlie Small y necesitamos vuestra ayuda –grité, esforzándome por que ese asqueroso desecho de Dibulliwood comprendiera que no queríamos hacer ningún mal.

–Atrapadosss, ¿sssí? –canturreó mientras el resto de la banda se acercaba a nosotros, señalándonos y riéndose por lo bajo–. ¿Sin papá y sin mamá, aquí?

–No, solo yo –repuse, sin saber adónde quería llegar con esa pregunta.

–¿Fassa, soosie soss, yeurkss? –preguntó uno de los otros extraterrestres.

«Así que el inglés no es su idioma natural», pensé. Debían de haberlo aprendido de alguien... quizá hubiera otros seres humanos en este planeta, después de todo.

–Ssslan yoss, ssnnss –contestó el primer extraterrestre.

Luego, dirigiéndose a mí, dijo:

–Borisss pregunta qué eresss.

–Soy un ser humano procedente del planeta Tierra –expliqué.

–Oh, yo sí sé lo que eres, Charlie Sssmall –sonrió el lagarto–. Es el pobre de Borisss. No tiene mucha memoria, desde que una asssquerosa y essscuálida nave terrestre le cayó sobre la cabeza.

–¿Mi Gravitador cayó sobre Boris? –pregunté, sorprendido. Me costaba creerlo. ¡Si hubiera aterrizado encima de una masa informe como él, me hubiera dado cuenta!

–No fue tu nave. Fue otra nave terrestre, hace mucho tiempo –repuso.

–¿Otros terrestres? Oh, eso es una noticia fantástica. ¿Dónde están ahora? –exclamé.

–¡Oh, vaya! Sssiento tener que decepcionarte, Charlie, pero nosssotrosss sssomos patanes cazadoresss, y tenemosss que sssobrevivir de lo que cazamosss, ¿sssí? Dimosss caza a los invasoresss y nosss losss comimosss. ¡Buenísssimosss! –siseó, relamiéndose de forma repugnante–. Ahora ha llegado tu turno, Charlie.

–¿Mi turno de qué? –pregunté, muy nervioso de repente.

–¡De ser persssseguido, cazado y comido, por sssupuesssto!

–¡No! Yo he venido en son de paz: soy un amigo, de verdad –protesté.

–Te creo. El problema esss que nosssotrosss no sssomosss amigosss... pero te daremosss una ventaja de ssseis minutosss, ¿sssí?

–Un momento –exclamé–. ¡Esto no es justo!

–Cuatro minutosss y medio. Esssstás perdiendo el tiempo, Charlie.

Los monolitos

—¡Oh, demonios! Vamos, Perro Loco —grité.

Y los dos salimos corriendo por la llanura, en dirección a un grupo de extrañas rocas verticales que se veían en la distancia.

El terreno era blando y esponjoso, y perdí fuerza en las piernas rápidamente. Cuando llegamos a esos altos monolitos, los patanes cazadores ya habían salido a darnos caza. Oía el sordo golpe de sus pies contra el suelo en la distancia, a pesar de que ya me encontraba en la maleza que crecía bajo los monolitos. Mientras corrían, no dejaban de gritar:

—¡Oi, oi, oi!

—No hemos llegado muy lejos, Perro Loco —dije—. Ellos avanzan muy deprisa.

—Grrrr —gruñó el pobre chucho, observando a esos monstruos con sus pequeños ojos mecánicos.

—Intentemos escondernos entre estas rocas. Es nuestra única esperanza.

Avanzamos entre las enredadas matas de maleza, pasando en zigzag bajo las enormes y lisas rocas que se levantaban como torres por encima de nuestras cabezas.

Nos escondimos detrás de uno de los monolitos al notar que los patanes nos rodeaban, pisoteando ruidosamente los matorrales.

—Te olemosss, Charlie Sssmall —gritó el lagarto que iba en cabeza.

—Te olemosss —repitió Boris.

—Grrr —gruñó Perro Loco.

—Sshh, cállate bobo —susurré, sujetándole el hocico para cerrarle la boca.

Los patanes estaban cada vez más cerca.

«No tenemos otra alternativa que largarnos de aquí», pensé. ¡Para hacerlo, tendríamos que ir ocultándonos tras las rocas, justo delante de las narices de esos patanes!

—Sígueme —murmuré—. Y quédate callado, ¿vale?

Perro Loco asintió con la cabeza y le solté el hocico.

Una huida resbaladiza

Casi sin respirar, nos fuimos abriendo paso para alejarnos de esos babosos patanes.

—Huelesss muy fuerte, Charlie —gritó el líder, que se encontraba en medio de la enredada maleza.

Huelesss muy fuerte

—Esss un olor apessstossso —exclamó Boris.

«Son encantadores —pensé, mientras nos introducíamos en un denso matorral de secos arbustos—. ¡Son ellos los que van soltando esa baba podrida y rancia por el suelo, y no yo!» Entonces, de repente, salimos al otro lado del matorral y nos encontramos al borde del cráter más grande y más profundo que nadie se pueda imaginar.

Era verdaderamente enorme: tenía por lo menos tres kilómetros de ancho y uno y medio de profundidad, y en el fondo del mismo se veían unos destellos, como si algo que se que se moviera ahí dentro reflejara la luz. ¿Qué sucedía ahí abajo...

serían personas?, me pregunté. Entonces oí un ruido detrás de mí. Miré hacia la izquierda y me di cuenta de que me encontraba en una situación terrible: estaba de pie encima de una roca que sobresalía por el borde del cráter, y el único camino de salida era regresar a los matorrales; pero en ese mismo momento las ramas empezaron a agitarse y, al cabo de un segundo, mis seis amigos patanes aparecieron ante mí.

–¡Oh, qué pena! Charlie ssse ha quedado sssin sssuelo bajo losss piesss, ¿sssí? –siseó el jefe.

Metí la mano en mi mochila para coger el lazo, dispuesto a presentar batalla.

–Essstásss acabado, Charlie –dijo el patán con una sonrisa, y la banda de patanes empezó a avanzar hacia mí.

Sin querer, di un paso hacia atrás y... ¡me encontré en el aire! Permanecí suspendido en el borde del cráter durante un segundo, moviendo los brazos como un loco, pero luego caí al vacío.

–¡Aaargh! –chillé.

–¡Guau, guau! –ladró Perro Loco, bajando los ojos hacia mí mientras yo caía. Y luego oí–: ¡Uuaaaauuuuu!

Uno de los patanes le había dado una patada y Perro Loco cayó detrás de mí.

Las paredes del cráter se movían a ambos lados a una velocidad de vértigo, y todavía no había tenido tiempo de asustarme de verdad cuando, ¡uuuuf!, aterricé con un golpe seco encima de algo húmedo. Entonces empecé a resbalar hacia abajo. Miré a mi alrededor y me di cuenta de que me encontraba en una especie de canalón de piedra enorme que se curvaba ante mí como si fuera un tobogán. «He tenido suerte –pensé–. No había visto esto desde arriba. ¡Si hubiera pasado a un metro de distancia por cualquiera de los lados, me hubiera precipitado hasta el fondo del cráter!» Un agua helada pasaba por ese canal y me deslicé con ella a una velocidad vertiginosa.

Perro Loco iba detrás de mí y tenía los ojos desorbitados por el miedo.

–No te muevas, Perro Loco –grité, para hacerme oír a pesar del estruendo del aire–. Nos toca una buena carrera.

¡Yuuupiii! ¡Y vaya carrera! Nos deslizábamos como si fuéramos en trineo, moviéndonos a izquierda y derecha del canalón mientras bajábamos cada vez más hacia las profundidades del cráter. Al cabo de un momento llegamos a una red de carriles hechos de piedra pulida y suspendidos en el aire que se perdían dibujando sinuosas curvas por todas partes.

Empecé a distinguir casas y calles, todo construido con esa piedra naranja típica de ese planeta, y me di cuenta de que me encontraba en

la tubería de suministro de agua de la ciudad. «Qué extraño», pensé. Siempre había dado por supuesto que las ciudades de otros planetas estarían hechas de brillante acero inoxidable y de cristal. Siempre había pensado que serían mundos tecnológicos, informatizados, con puertas automáticas deslizantes, coches voladores y trenes que viajarían a la velocidad de la luz. Pero ese lugar parecía bastante normal.

Vi que en los techos de las casas había unas antenas parabólicas, pero estaban muy oxidadas y habían sido fabricadas de forma tosca. Los carriles que cruzaban la ciudad por entre tejados y chimeneas no servían para trenes de alta velocidad ni para vehículos deslizantes sobre un colchón de aire, sino que simplemente eran transitados por viejas bicicletas en las que montaban unos patanes sin resuello que pedaleaban como locos. ¡Algunos de esos lagartos ciclistas nos vieron y se quedaron boquiabiertos por la sorpresa!

Las calles de la ciudad estaban llenas de patanes ocupados en sus tareas cotidianas. ¡Horror! De repente me di cuenta de que acababa de entrar en la boca del lobo y de que no había manera de hacer marcha atrás. Quizá esos patanes fueran más amistosos que los cazadores, pero era un riesgo que no podía correr. Tenía que salir de ese tobogán antes de que fuera a parar a alguna central hidráulica y cayera en brazos de cualquier funcionario patán.

–Ahora o nunca –le grité a Perro Loco–. ¡Vamos, chico!

Pegué los brazos al cuerpo y rodé por encima del borde del canalón, precipitándome al vacío, con la intención de aterrizar encima de un techo que se encontraba a unos metros por debajo de nosotros. Pero la puntería me falló: caí de cabeza dentro de un enorme cubo de basura que se encontraba al fondo de un callejón vacío, entre dos casas de patanes.

Me hundí en una montaña de restos de verdura en descomposición de esos patanes. ¡Puaj! Era asqueroso. Mientras intentaba ponerme de pie, ¡pum!, Perro Loco aterrizó encima de mí y ¡volví a sumergirme en esa ciénaga otra vez!

—¡Aauuuuu! —aulló Perro Loco.

—¡Cállate, bobo! —lo reñí, mientras le quitaba restos de basura del hocico—. ¿Es que quieres que un millón de patanes se nos echen encima?

Cuartel general de los patanes

Saqué la cabeza cubriéndome con una enorme hoja de uno de los vegetales del montón de basura y miré hacia el callejón. Todo estaba muy tranquilo, así que salí sin hacer ruido. El suelo era de piedra: quizá por eso los patanes habían construido su ciudad en ese lugar. Perro Loco saltó al suelo detrás de mí.

¡Me escondí dentro de un cubo de basura!

–Tú quédate aquí –le dije–. Voy a explorar este lugar.

Fui de puntillas hasta el extremo del callejón y miré a ambos lados de la calle. La ciudad era enorme, pero había poca luz y las calles estaban iluminadas con faroles que vertían una luz verdosa sobre el pavimento anaranjado. Había innumerables calles que se abrían entre casas con forma de cubo y de techo plano; algunas solo tenían dos pisos de altura, pero otras eran altísimos bloques rectangulares. Por encima de mi cabeza, los carriles de las bicicletas se entrecruzaban formando una enmarañada red y, más allá, unas altas chimeneas vertían un humo amarillento en el aire.

La calle en la que desembocaba nuestro callejón estaba muy tranquila, pero en los cruces con otras calles se veía a un montón de patanes. Algunos de ellos tenían el mismo aspecto que los cazadores –unos monstruos de dibujo animado, babosos, anaranjados y de grandes colmillos–, pero también había otros tipos de reptiles: altos, bajos, gordos, delgados, terroríficos, bobos, de color púrpura, azul ¡y rosa! Con manchas, topos y rayas en la piel: la variedad de patanes era increíble.

Volví al fondo del callejón. ¿Qué iba a hacer? Teníamos que salir de la Ciudad de los Patanes; si nos quedábamos allí demasiado tiempo,

seguro que nos atraparían. Tendríamos que
esperar a que la ciudad se quedara en silencio y
todos los patanes se hubieran metido en la cama.

Un patán con topos

De repente, una ventana de una de las casas
que daba al callejón se abrió, dibujando un
cuadrado de luz en una de las paredes.
Me pareció oír los acordes de una música que
me resultaba familiar, y le pedí a Perro Loco,
en un susurro, que viniera a mi lado.

–Quédate aquí –le susurré.
Me sujeté al alféizar y, encaramándome sobre
su grupa, miré dentro de la habitación. ¡No podía
creer lo que estaba viendo! En esa habitación
había una mesa, un banco y un sillón tosco,

todo ello construido con la madera azul de esos extraños árboles azules que había visto. En el suelo, sentado, había un pequeño patán mirando una enorme pantalla de televisión colgada en la pared. ¡Y la televisión emitía una de las series del planeta Tierra!

«¡Para eso deben de servir esas antenas parabólicas que hay en los tejados!», pensé. ¡Los patanes detectaban las transmisiones de cientos de miles de kilómetros de distancia, y por eso habían conseguido aprender inglés! El bebé movió un brazo en el aire y la televisión cambió de canal. Ahora emitía un programa protagonizado por los extraterrestres más raros y grotescos que nadie pudiera imaginar. Parecían globos de grasa semilíquida, y tenían unos ojos que se movían por todo su cuerpo esférico. ¡Era increíble que esa tribu de patanes salvajes de la edad de piedra tuviera la tecnología necesaria para recibir canales de televisión procedentes de todo el universo!

Entonces, sin darme cuenta, le pisé la cabeza a Perro Loco y este soltó un gemido de protesta. El bebé patán giró la cabeza y, por un instante, nos miramos el uno al otro, pasmados. Reaccioné deprisa y, bajando de la ventana, salí corriendo. Pero en ese momento, un montón de patanes apareció en la entrada del callejón. Estaba atrapado. Si a cualquiera de esos bichos se le ocurría mirar hacia el fondo del callejón, estaba perdido.

¡Miré, pasmado, a un patán bebé!

Me disponía a meterme de nuevo en el cubo de basura cuando, entre las sombras, vi una pequeña ventana con arco que se encontraba a nivel del suelo y pensé que debía de comunicarse con el sótano de la casa del bebé patán. «Eso debe de ser más seguro que esconderse dentro de un cubo de basura», pensé. ¡Y, desde luego, no olería tan mal!

Me puse de rodillas y empujé la ventana hacia dentro, que se abrió sin dificultad. Me introduje por ella con los pies por delante. No era muy grande y tuve que serpentear bastante para poder atravesarla. Al final, caí en un oscuro sótano. Perro Loco soltó un pequeño gemido

71

y saltó después de mí. Lo atrapé en el aire y le di unos golpecitos en la cabeza antes de dejarlo en el suelo. ¡El chucho salió corriendo de inmediato en pos de alguna rata extraterrestre!

Ese lugar tenía un olor rancio y húmedo. Saqué la linterna que llevaba en mi equipo de explorador y la enfoqué a mi alrededor. El sótano debía de tener unos cinco metros cuadrados, y estaba lleno de grandes cajas amontonadas unas encima de otras y de cachivaches diversos. Unas escaleras polvorientas subían hacia una puerta que daba a la casa. Las subí de puntillas y apoyé la oreja en ella. Silencio. ¡Bien! Allí estaría a salvo un rato y después podría salir otra vez para intentar escapar de la ciudad.

He terminado de escribir en mi diario y de repente me siento totalmente agotado. Creo que me echaré sobre las cajas y cerraré los ojos un minuto…

Hospitalidad patánica

¡Horror! Eso era lo peor que podía haber hecho. Cuando abrí los ojos, todo estaba oscuro como en la boca del lobo. Por la pequeña ventana no se colaba ni un hilo de luz, y me di cuenta de que había dormido durante horas, porque era entrada la noche. Fui a coger mi linterna y… entonces ¡oí una respiración!

–¿Eres tú, Perro Loco? –pregunté en un susurro.

De inmediato, me maldije a mí mismo: Perro Loco no respiraba, por supuesto, porque es un robot. ¡Lo único que hace es emitir un zumbido! Distinguí el tic, tic, tic del chucho mecánico, que se había quedado en modo pausa. No, allí había algo que respiraba, y parecía que se encontraba justo detrás de mí.

–¿Quién hay ahí? –pregunté, tartamudeando.

No recibí respuesta alguna. Me quedé helado por el miedo. ¡Quizá alguno de esos patanes cazadores me había olido el rastro! Inhalé con fuerza y me di la vuelta al tiempo que iluminaba la zona con la linterna.

–¡Argh! –gritó el bebé patán, cubriéndose los ojos con sus manos palmeadas.

–Oh, lo siento, pequeño –dije, apartando el rayo de luz de su rostro–. No quería asustarte.

¡Me sentí muy aliviado! El bebé patán bajó las manos y me miró con sus grandes ojos rojos. Parecía bastante simpático, a pesar de las escamas y de la gordura.

–¿Cómo te llamas? –pregunté–. Yo me llamo Charlie Small. Estoy atrapado aquí. ¿Tú me podrías decir cómo salir de este cráter?

El pequeño patán me miró, pero justo en ese momento Perro Loco despertó y se puso en modo actividad. Al ver a ese extraño reptil, empezó a ladrar con todas sus fuerzas. *¡Guau, guau, guau!* El bebé patán se dio la vuelta y, asustado por el animal mecánico, abrió sus pequeñas y babosas fauces y gritó:

—¡Sssnark, sssnark, sslivle poosh pah!

—Basta, Perro Loco —grité—. ¡Cállate, bebé, o entre los dos vais a despertar a toda la casa!

Pero ya lo habían hecho. Oí unos precipitados pasos en el piso de arriba, la puerta del sótano se abrió y papá patán apareció de repente. ¡Y no parecía nada amistoso!

Tenía una nariz larguísima y flexible, y una boca enorme que cuando se abría y se cerraba parecía una trampilla. En la espalda, cubierta de escamas, se le veían unas grandísimas verrugas llenas de pelos, y sus ojos brillaban como ascuas en una habitación oscura.

—Sssloe ssslabbadan richnnar sssoop —bramó mientras bajaba las escaleras de un salto.

—Ssslbadan sssssnood —gritó el pequeño.

—Corre, Perro Loco —exclamé, mientras me lanzaba en dirección a la ventana.

Trepé por las cajas e introduje la cabeza y los hombros por la abertura. Perro Loco estaba justo detrás de mí, y en el instante en que creía que estaba a punto de conseguirlo, noté que una mano grande me sujetaba por el tobillo y tiraba de mí hacia abajo.

—Asssí que esss verdad, ¿sssí? —dijo el patán, en inglés, pegando su sebosa cara a la mía.

—¿El qué es verdad? —pregunté, tartamudeando.

—Sssalió en lasss noticiasss de la noche —siseó el bulboso patán azul, pasándose la gruesa lengua púrpura por los labios—. Hay invasssores en la ciudad.

—No, ya les conté a los cazadores que no soy un invasor. Me estrellé en vuestro planeta por error. Estoy atrapado aquí y necesito ayuda para regresar a casa —dije—. Tenéis que creerme, no quiero hacer ningún daño.

El patán me miró con actitud de profunda reflexión y, al final, dijo:

—Por aquí.

Y, empujándome para que fuera por delante de él, me condujo hacia las escaleras. Perro Loco nos siguió al trote, pero sin dejar de gruñir en voz baja.

¡Festín de medianoche en casa del patán!

El corpulento patán me llevó hasta una pequeña cocina que tenía una destartalada mesa a un lado y una gran chimenea en el otro. En la chimenea había un viejo fogón negro y, encima del mismo, una olla en la que hervía la comida y que llenaba el aire de nubes de vapor. El olor era delicioso y noté unos retortijones en el estómago.

—¿Comer, sssí? —preguntó el patán, con una actitud menos severa que antes.

—Oh, gracias. Esto... ¿qué es? —pregunté.

—¡Ssspleurk! —repuso el patán—. Esss bueno.

—Mmm, sssspleurk. Suena muy bien, pero creo que paso, gracias —respondí.

El patán se encogió de hombros, pero sirvió dos tazones, uno para él y otro para el bebé. Los dos sorbieron la comida con avidez y volví a notar un retortijón en el estómago.

—Bueno, quizá pueda tomar un poco —dije.

El patán me sirvió un tazón. Oh, estaba delicioso, así que me lo zampé rápidamente.

—Estaba buenísimo —dije—. ¿Qué es ssspleurk?

—Esss una delicatesssen essspecial —explicó el patán—. Te lo enssseñaré.

Rebuscó en uno de los armarios de la cocina y sacó un libro de cocina patánica. Después de hojearlo con sus dedos largos y palmeados, encontró la página que buscaba y me ofreció el libro para que yo lo viera.

–Ssspleurk –dijo.

¡Al ver la foto del libro, estuve a punto de vomitar: allí estaba el extraño animal con forma de salchicha que había visto arriba! ¡Horror! ¡Me acababa de comer un pobre ssspleurk chillón!

–¿Másss, sssí? –preguntó el patán.

–¡No, no más! –exclamé–. Ha sido suficiente, gracias.

–Bueno, ahora dinosss qué essstás haciendo aquí –dijo papá patán.

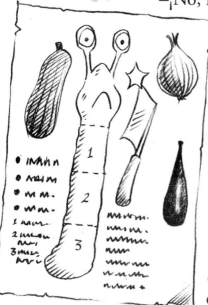

Ahora que sabía que estos patanes eran más amistosos que los cazadores, me sentía mucho mejor, así que le conté rápidamente cómo me había visto atrapado en el Gravitador fuera de control y cómo había caído en su planeta.

–¿Asssí que essstás sssolo, sssí? –preguntó el patán, achicando los ojos con recelo al mirarme–. ¿No hay otrosss como tú?

–No, me temo que estoy solo yo –respondí–. Ah, y Perro Loco. Shhh, Perro Loco –añadí, ya que seguía gruñendo, sentado a mis pies–. ¿Crees que podrás ayudarme a regresar a la Tierra? –pregunté a nuestro anfitrión.

–Ssseguro que sssí –siseó–. Pero ahora necesssitasss un buen dessscansssso nocturno, ¿sssí?

–Oh, sí, por favor –repuse, sintiéndome muy cansado de repente–. Pero antes, ¿puedes decirme cómo conseguís ver programas de la Tierra en vuestro televisor?

–¿Televisssor? ¿Qué es un televisssor? –se extrañó el patán.

–Esa pantalla grande que vi desde la ventana –expliqué–. Había un antiguo programa de televisión de la Tierra.

–Ah, el Informador –dijo el patán–. Recibimosss imágenesss procedentesss de todo el Universsso. Asssí aprendemosss idiomasss y tenemosss controladosss a los posssiblesss enemigosss. ¡Pero los humanosss no ssson una gran amenaza, porque vemosss que ssson muy esssstúpidosss!

–Eh, un momento –corté, ofendido–. No somos estúpidos.

El enorme y gordo patán se encogió de hombros otra vez:

–Sssi tú lo dicesss, Charlie –dijo soltando un risita siseante–. Bueno, te voy a mostrar tu cama.

Seguí al patán y a su bebé por unas escaleras hasta el piso superior. Cruzamos una de las puertas del rellano y subimos por otras escaleras hasta

llegar a una pequeña habitación del ático. Allí
había una cama baja, tipo campamento, pero nada
más. Perro Loco soltó un gemido de decepción.

–¿Passsa algo? –preguntó el patán.

–No, todo está bien –respondí mientras barría
un puñado de hongos verdosos que habían crecido
en la humedad de la colcha.

–Ssstravet sssnoe; que duermasss bien, Charlie
–dijo el patán.

–Ssstravet sssnoe –repitió el bebé.

Luego cerraron la puerta y oí sus pesados pasos
bajar por las escaleras. Esperé a oír también el
chasquido de la puerta del rellano, y entonces me
dejé caer sobre la cama.

–Oh, uau, Perro Loco –suspiré–. Estoy
destrozado. Vaya suerte hemos tenido de encontrar
a unos patanes amistosos. Hubiéramos podido
acabar atados con cadenas, sin esperanza de
regresar nunca a casa. Pero ¿qué te pasa, amigo?
–añadí, ya que Perro Loco tenía las orejas tiesas
en actitud de alerta y no dejaba de mirar hacia la
puerta mientras gruñía con mayor ferocidad que
antes.

–Vale, Perro Loco, ya está bien –dije–. No hay
nada de qué preocuparse.

Pero estaba equivocado, y Perro Loco tenía
razón de estar alerta, tal como iba a averiguar a
primera hora de la mañana...

El patán nos juega una mala pasada

Me quedé dormido en cuanto me tumbé sobre esa húmeda cama, y al despertar, al cabo de unas horas, vi que Perro Loco continuaba en el mismo lugar y que seguía gruñendo, como si su mecanismo se hubiera quedado encallado en el modo gruñido.

—Ya te dije que no hay nada de que preocuparse —volví a decirle, levantándome de la cama y dándole una palmada en la cabeza—. Vamos, quizá los patanes nos lleven a nuestra cueva hoy y nos ayuden a reparar el Gravitador.

Me colgué la mochila de la espalda y bajé el corto tramo de escaleras hasta la puerta del rellano. Pero ¡estaba cerrada! Giré el pomo otra vez y empujé la puerta con el hombro, pero no se movió. Entonces sentí un sudor frío de miedo en todo el cuerpo.

—¡Eh! ¿Qué es lo que sucede? ¡Dejadme salir! —grité.

Todavía no estaba demasiado preocupado. Quizá los patanes me hubieran encerrado por mi propia seguridad. Golpeé la puerta y volví a gritar. Pronto oí unos pasos en el rellano y, luego, el ruido de una llave al ser introducida en el cerrojo. En cuanto la puerta se empezó a abrir, empujé para salir de inmediato, pero el patán la estaba bloqueando por el otro lado. ¡Y en la mano llevaba un tridente de aspecto mortífero con el que me apuntaba directamente!

—Ya dije que losss humanosss ssson essstúpidosss —dijo ese zoquete abotargado, sonriendo—. ¡No debissste creer que te ayudaría a essscapar del planeta de los patanes, sssí? Aquí eresss mucho másss valiossso para mí. ¡Soy Ssslava, del Sssuntuossso Mussseo de las Rarezasss de Ssslava, y los patanesss me pagarán un buen precio para ver a un auténtico terressstre vivo!

—¿Qué te traes entre manos? —pregunté, confundido.

—Tú vasss a ssser la última y mejor pieza de mi mussseo —siseó el repugnante reptil—. Ssserásss la sssensssación de la temporada, Charlie. ¡Nosss haremosss famosssosss juntosss!

—No quiero ser famoso, y no pienso quedarme sentado en una jaula de cristal durante todo el día para que tú puedas llenar la caja —grité, enojado y asustado al mismo tiempo.

El constante gruñido de Perro Loco se convirtió,

de repente, en una explosión de potentes ladridos. Se lanzó contra el patán, chasqueando los dientes metálicos con tanta fuerza que despedían chispas por todas partes.

El patán retrocedió un paso, y una expresión de miedo le ensombreció los ojos. Pero, soltando un gruñido, apuntó al perro con el tridente y entonces unos rayos eléctricos de color azul fulminaron a Perro Loco, que cayó inerte ante los escamosos pies del patán. De la boca abierta del perro salía una columna de humo.

—¿Qué es lo que has hecho, miserable? —exclamé, arrodillándome en el suelo para poner una mano sobre el costado del animal mecánico. Ya sé que ese perro no es más que una serie de conexiones, cables y tornillos, pero es un chico bueno y valiente; además, es el único compañero que tengo en este peligroso y absurdo planeta.

—Essstúpido, essstúpido humano —rio el patán—. Ahora, baja a la cocina —dijo, empujándome por la espalda con el tridente.

Recogí a Perro Loco del suelo y con él a cuestas

bajé las escaleras delante de papá patán.

En la cocina, el bebé patán estaba sentado a la mesa y comía otro tazón de ssspleurk. Ante el horno se encontraba su enorme madre.

—¡Sssss! —siseó al verme y, cogiendo el cucharón de la olla, empezó a golpearme en los hombros—. ¡Yosss, ssstrove haasss! —siseaba.

—Banssto ssstarp, sssneeep sssnasss stro —dijo su marido.

Entonces ella dejó de golpearme y, dando un paso hacia atrás, me miró con unos ojos que parecían brillar de miedo y odio.

—Por favor, disssculpa a mi esssposa. ¡Esss tu piel sssuave y rosssada, que le parece absssolutamente repulsssiva!

Papá patán habló con ella en su propio idioma, y mientras le escuchaba, una desagradable sonrisa se dibujó en sus labios finos y correosos. Entonces salió de la habitación para volver al cabo de unos minutos con una apestosa manta que dejó en manos de su marido.

—Y ahora vamosss a mi mussseo —dijo el patán—. No quiero que nadie te vea antes de que llegemosss ahí. Arruinaría la sssorpresssa, asssí que debesss ponerte esssto —añadió, pasándome la manta por encima de la cabeza.

Luego me envolvió con ella de tal forma que podía ver a través de un pequeño agujero que había en la tela. Entonces, después de esconderse

¡Todos los patanes son unos bobos!

el tridente bajo el gordo y flácido brazo, abrió la puerta trasera y me hizo salir de un empujón.

Todavía con el cuerpo sin vida de Perro Loco en los brazos, me apresuré por las concurridas calles y subí por una larga escalera metálica que llevaba a una de las terminales del sistema del ciclocarril. Una vez allí, estuvimos esperando en una cola a que llegara nuestro turno. Los patanes me miraban con curiosidad, aunque iba cubierto por la manta, y le hacían unas preguntas incomprensibles para mí a mi captor. Él respondía con una carcajada y dándome palmadas en la cabeza. ¿Qué les estaría contando?

Nuestro turno llegó, finalmente, y el patán montó en una bici y me puso dentro de una gran cesta de metal que había en el manillar. Salimos inmediatamente y pasamos zumbando por encima de los tejados, siguiendo el carril que esquivaba chimeneas y las innumerables antenas parabólicas.

El ciclocarril se bifurcaba constantemente en cientos de direcciones distintas, y yo miraba a través de los pliegues de mi manta mientras el patán iba pulsando los botones del manillar que cambiaban la conexión de los carriles para llegar al destino elegido.

Al cabo de unos veinte minutos llegamos a una parada y el patán me sacó de la cesta.

—Ahora no hagasss ningún ruido, Charlie —me advirtió el patán mientras me conducía por unas escaleras que descendían del ciclocarril.

Yo me encontraba sumido en un estado de confusión. ¿Qué podía hacer? Si gritaba pidiendo ayuda, quizá acabara en una situación peor, así que decidí esperar un poco hasta encontrar la oportunidad de escapar.

Al final de la calle había una plaza pequeña y tranquila en la que se levantaba un decrépito edificio con un letrero que rezaba: Ssslava's Hoisssisss Cramptisasius Soss. Supuse que eso significaba «Suntuoso Museo de las Rarezas de Slava».

Una vez allí, el patán abrió la puerta y, después de entrar, me quitó la manta. Me encontraba en una habitación pequeña y oscura, pero era posible distinguir la arqueada ventanilla de una taquilla a nuestra izquierda y una puerta batiente delante de nosotros. El patán la abrió de un empujón.

–Hemos llegado, Charlie –me informó mientras accionaba un interruptor.

Una hilera de lámparas se encendieron con una luz de un apagado color verde lima y llenaron la enorme habitación con una luminiscencia inquietante. Las paredes estaban cubiertas de humedad, el aire era fétido y por todas partes había unas enormes vitrinas que contenían los restos de las formas más fantásticas de vida que uno se pudiera imaginar.

Algunos de los ejemplares comidos por las polillas

–Bienvenido a mi museo mágico –dijo el patán con orgullo mientras me conducía ante los rostros vacíos de esos ejemplares sin vida.

Era imposible saber si se conservaban en formol o si, simplemente, eran figuras de cera, pero esas pobres criaturas comidas por las polillas formaban un triste espectáculo. Pero el patán parecía ajeno a ello.

—Essstasss criaturasss proceden de todosss losss rinconesss del universsso, de losss extremosss másss lejanosss del essspacio. Algunasss llegaron aquí por accidente, igual que tú. Otrasss tuvieron la audacia de atacarnosss y pagaron sssu precio por ello. Tú, mi único ejemplar vivo, ssserás la pieza central de mi essspectacular exhibición, la joya de la corona de todasss estasss maravillasss, Charlie —dijo Slava.

—Bueno, me siento muy halagado, desde luego —repuse con sarcasmo—. Pero si quieres mi opinión, la mitad de estos bichos parecen listos para la basssura.

El patán me miró con malevolencia.

—¿Te creesss graciosssso, ssssí?

Y entonces, empujándome con el tridente, me hizo pasar por delante de una hilera de vitrinas hasta llegar a la última de ellas. Abrió la puerta y me metió dentro de un empujón.

—Ahora ya no te ríesss tanto, ¿verdad, terrícola? —siseó apretando los dientes.

—¡Suéltame o...! —grité, golpeando los cristales de seguridad.

—¿O qué? —replicó el patán.

Su voz me llegaba amortiguada a causa del grueso panel de cristal que nos separaba.

—¡Ya verás! —grité—. ¡Espera y verás!

—Sss, sss, sss —se burló el patán, divertido.

Se despidió con un gesto de la mano y se alejó.

Las luces de la sala bajaron de intensidad, y me quedé solo, casi a oscuras, atrapado en una jaula de cristal y rodeado de extraterrestres muertos. ¡Oh, genial! ¿Hay algo peor que esto?

¡Atrapado!

¡Sí, lo hay!

Pasé el resto del día, y toda la noche, y todo el día de hoy, solo en ese espeluznante museo. ¡Eso sí es aburrimiento! Es como vivir dentro de una burbuja. Por suerte, me dejó un montón de fruta en una esquina de la vitrina y mi botella de agua estaba llena de aguanieve. ¡Me alegro tanto de que no me haya dejado un tazón de ssspleurk!

El patán ha venido hace un rato para decirme que había estado muy ocupado publicitando su nuevo ejemplar por toda la ciudad, y que reabrirá su museo mañana a primera hora. Espera que venga una gran cantidad de gente y desea que yo haga una buena demostración.

—Prueba a gruñir y a rugir un poco, Charlie. ¡A la gente le encanta essse tipo de cosssasss! —me ha dicho.

Bueno, pues puede esperar sentado. Yo no sssoy un mono de exhibición (esa forma de sisear se contagia).

Ahora vuelvo a estar solo, pero es difícil sentirse solo estando rodeado de un montón de extraterrestres de ojos vidriosos que me miran. Algunos de ellos parecen bolas blancas con dos pequeñas manchas negras por ojos; otros tienen los ojos que parecen enormes bolas amarillas, grandes como platos.

Hay algunos que son altos como jirafas, y que parecen langostas gigantes con horribles garras y enormes cuernos; también hay extraterrestres a los que llaman sprists que parecen casi humanos, pero que tienen unos brazos largos y ondulados y, en lugar de dedos, unas largas ventosas; otros no son más que descomunales gusanos con colmillos afilados como cuchillos.

¡Los sprists parecían casi humanos!

¡Vaya un lugar para pasar la noche! Eso sí que es sentirse observado. Ahora estoy terminando de escribir en mi diario, en la penumbra, rodeado por esas bestias. También he mirado si mi compañero mecánico ofrecía algún signo de vida, y ahora, con una húmeda manta por encima, intentaré dormir un poco.

Han transcurrido dos horas, y continuo completamente despierto. Tengo la cabeza ocupada con demasiados pensamientos para dormir. El vidrio irrompible tiene tres centímetros de grosor y, aparte de unos pequeños agujeros que tiene en la parte de arriba, a unos dos metros por encima de mi cabeza, es totalmente compacto. Y, a pesar de mi gran habilidad con los cerrojos, he sido incapaz de abrir la puerta de vidrio. La situación es mala... ¡tengo que dar con la manera de salir de aquí!

La pieza destacada del museo

A la mañana siguiente, las puertas del museo se abrieron a las nueve en punto. Una multitud de curiosos patanes narigudos entró, empujándose a causa de la excitación, y se dirigió directamente a la vitrina donde me encontraba.

Me miraban y reían como niños; golpeaban los cristales; pegaban la nariz en ellos y ponían caras

¡Estoy rodeado de ojos penetrantes! ¡ES ESCALOFRIANTE!

¡Sacadme de aquí!

91

extrañas; hacían malas imitaciones de mi manera de caminar o de sentarme, o de las expresiones de mi cara. Eso sí que es humillante: ¡nunca más haré ruidos tontos al otro lado de una jaula de un chimpancé en el zoo!

Intenté no hacerles caso, pero era imposible. Si les daba la espalda, golpeaban el cristal hasta que conseguían que me diera la vuelta otra vez; ¡y si les gritaba que se callaran, disfrutaban más, incluso!

Cuando finalmente me harté, me lancé hacia ellos y golpeé el cristal con los puños, gritando y chillando, pero mi entusiasmado público me animó. No eran más que unos zoquetes estúpidos. Al final, me cubrí con la manta y me quedé sentado tan quieto como me fue posible.

Pero eso no duró mucho. El público no había pagado su dinero para mirar una manta, así que pronto oí que se abría una puerta. Miré por entre los pliegues y vi que Ssslava cerraba la puerta detrás de él. Oh, oh... llevaba el tridente en la mano.

—Te dije que te portarasss bien, Charlie —comentó, pinchándome con ese tenedor gigante. Entonces, de sus afiladas puntas salió una luz azulada y una corriente eléctrica me hizo saltar del suelo—. Eso está mejor —se burló el patán.

El patán volvió a pincharme con el tridente

y, aunque me aparté de un salto, no fui bastante rápido; no pude evitar que otra descarga eléctrica me hiciera saltar por los aires, y acabé estrellándome contra el cristal. A partir de ese momento, Ssslava me hizo correr por el interior de la vitrina intentando escapar a la mordida eléctrica de su tridente. El público vitoreaba, golpeando el suelo con esos enormes pies planos.

Al final, Ssslava dejó de perseguirme e hizo salir al público del museo. Pero yo todavía no había tenido tiempo de recuperar el resuello cuando un nuevo grupo de visitantes entró en la sala y todo empezó de nuevo. Así transcurrió el resto del día, hasta que, por fin, Ssslava cerró las puertas del museo, cuando el último grupo hubo salido.

—Buen essspectáculo —dijo ese avaricioso patán agitando un saco lleno de monedas ante mi vitrina—. ¡Mañana todavía vendrán másss patanesss dessseosososs de ver al sssalvaje terrícola! Toma, come un poco. Tienesss que mantenerte fuerte, ¿sssí?

Slava abrió la puerta de la vitrina y lanzó un

poco de fruta y una botella de aguanieve.

Después de tanto ejercicio, estaba hambriento, así que me abalancé sobre la comida y empecé a llenarme la boca a dos carrillos mientras deglutía ese dulce líquido.

–Ssstravet sssnoe, Charlie –dijo el guarda patán y, automáticamente, me dejo a solas en ese oscuro y escalofriante museo.

Al día siguiente

Mucho público; fuertes golpes en el cristal y risitas tontas. No quería recibir el pinchazo del tridente de Ssslava otra vez, así que estuve saltando y rascándome las axilas como si fuera un mono. Me lanzaba contra el cristal y rugía, actuando como si fuera una bestia salvaje. El estúpido público estaba encantado. Más fruta para cenar. (¡Vaya, lo que daría por una buena y jugosa hamburguesa!)

Y al otro

Esta noche ha sucedido algo verdaderamente preocupante.

Había pasado el día actuando para los patanes. Había más público que nunca. Pero al final, poco después de que Ssslava acompañara afuera al último de los visitantes, la puerta batiente se abrió con un fuerte golpe y tres musculosos patanes recorrieron el pasillo que se formaba entre las vitrinas. Llevaban puestas unas grandes armaduras de escamas, y sujetaban unos mortíferos tridentes que tenían unas púas largas de acero. Ssslava se quedó petrificado ante ellos, que le agitaban unos papeles delante de la cara mientras le ladraban órdenes en patánico.

Uno de los patanes de seguridad

No comprendí ni una palabra de lo que le decían, por supuesto, pero era evidente, por la forma en que esos musculosos patanes me señalaban, que yo era el motivo de que estuvieran allí. Al final, con un último rugido, le arrancaron el tridente de la mano, dieron media vuelta y salieron de la sala. Ssslava se quedó mirando con expresión derrotada el documento que le habían dejado.

—¡Ja! ¡Se han llevado tu tridente! ¿Tienes problemas, Ssslava? —pregunté, encantado al ver que ya no podría pincharme más con su tridente.

—Me temo que ssson malasss noticiasss para losss dosss, Charlie —dijo con voz temblorosa—. Eran los guardiasss de ssseguridad de la Federación Patánica. Ssse sssupone que sssolo ellosss pueden tener tridentesss eléctricosss, asssí que me han confissscado el mío. Maldición.

—¿Y qué es la Federación Patánica?

Yo no quería tener nada que ver con esos musculosos monstruos.

—Esss nuessstro conssssejo de gobierno. Ssse han enterado de todo lo referente a ti y quieren interrogarte. Graciasss al Informador, sssaben que, a pesssar de que sssoisss verdaderamente esssstúpidos, losss terrícolasss ssson una esssspecie maligna y peligrosssa —explico Ssslava—. Una vez capturaron a un ssser humano que esssstaba esssspiando en el planeta, preparando una invasssión en Patania. Creen que eresss un cssspía.

–¡No soy ningún espía! –exclamé.

–Vendrán a bussscarte a primera hora de la mañana –me comunicó el patán–. No lo vasss a passsar bien allí. Tienen habitacionesss llenasss de inssstrumentosss de tortura. ¡Cuando estésss allí confesssarás cualquier cosssa!

–¿Qué clase de instrumentos de tortura? –pregunté, tragando saliva.

–Máquinasss que te hacen cosssquillasss en losss piesss hasssta que ya no puedesss reírte másss –dijo el patán.

–Eso no parece muy terrorífico –dije.

«Seguro que puedo aguantar unas cuantas cosquillas», pensé.

–Hay una máquina que te lanza arañasss encima –continuó.

–No pasa nada, me gustan las arañas.

«Siempre y cuando no sean tan grandes como la Aracnión», me dije mientras un escalofrío me recorría la espalda.

–... y máquinasss que te perforan la cabeza y que te sorben el cerebro lentamente –continuó Ssslava.

–¡Aaagh! ¡Lo dices en broma! –exclamé–. Tienes que sacarme de aquí, Ssslava. Tienes que esconderme.

¡Cosquillas, cosquillas!

(Ved mi diario El Mundo Subterráneo)

–No puedo hacerlo, Charlie. Ya tengo bassstantesss problemasss por no haber informado sssobre ti ensssseguida –repuso el patán–. Sssi no esssstás aquí cuando losss guardias de ssseguridad del Consejo vengan, sssseré yo quien acabe con el cerebro sssorbido.

–Pero ¡eso es espantoso! –exclamé.

–Sssí, lo esss –siseó el reptil–. Misss planesss han fracassssado. Pero ha estado bien mientrasss ha durado. He hecho una buena caja.

–¡Ah, entonces todo está bien! –grité–. ¡Siempre que tú estés bien! ¿Y yo qué?

–Lasss cosssas esssstán muy mal para ti, Charlie, ¿sssí? Bueno, esss inevitable... nosss vemosss por la mañana –dijo el patán, y me dejó a oscuras.

Ahora es muy tarde, y los patanes de seguridad estarán aquí dentro de pocas horas. Lo he intentado todo para salir de aquí: he probado con el diente de megatiburón y con mi navaja multiusos, pero ni siquiera he conseguido hacer un arañazo en el cristal. He vuelto a intentar forzar la cerradura con el dedo del esqueleto que recogí en la isla de la momia, pero ha sido imposible abrirla. Le he propinado un golpe de kárate al cristal y he estado a punto de romperme la pierna. He gritado pidiendo auxilio con todas mis fuerzas hasta

(Ved mi diario La tumba de la momia)

quedarme afónico, pero ha sido en vano. Estoy absolutamente atrapado.

Desesperado, he intentado reparar el circuito de Perro Loco otra vez. «Si puedo conseguir que vuelva a ponerse en marcha –pensé–, quizá pueda romper el cristal con sus dientes de acero.» Pero no consigo arreglarlo: sus circuitos parecen totalmente chamuscados.

Ahora acabo de poner al día mi diario ¡y todo parece indicar que por la mañana iré directamente a la cámara de torturas! Si esta es mi última entrada en el diario, podéis estar seguros de que me habrán sorbido el cerebro por un agujero en la cabeza. ¡Buenas noches!

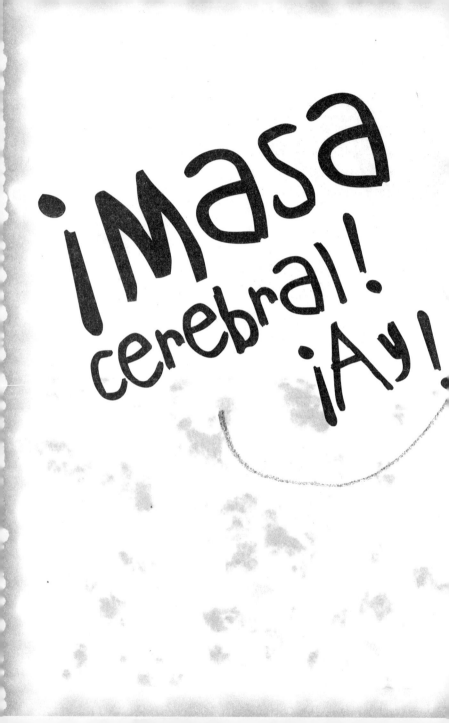

asqueroso

Una visita inesperada

¡Era una broma! Eso no era masa cerebral de verdad (¡era la pulpa aplastada de una fruta patana!), pero conseguí salir del museo. ¡Nunca adivinaríais cómo fue, ni dónde estoy ahora!

A pesar de mi preocupación por ir a la cámara de tortura, debí de sumirme en un profundo sueño porque lo siguiente que recuerdo es que me despertó un extraño zumbido, como el de un enorme mosquito atrapado dentro de un tarro.

Abrí los ojos. Todo estaba oscuro, todavía, pero había cierta penumbra y pude ver los ojos fijos de los extraterrestres de las vitrinas adyacentes a la mía. ¿Alguno de ellos habría recobrado la vida? ¿Había una abeja gigante del espacio volando en el museo, buscando a quién picar?

Entonces, miré hacia el suelo, al otro lado de mi vitrina de cristal, y vi que algo se movía fuera. «Oh, no –pensé–. No puede ser que esos bobos de seguridad ya estén aquí.» Cogí mi linterna y la encendí. Allí, deslumbrados por el rayo de luz y mirándome directamente, había dos enormes ojos negros. Esos ojos se encontraban en una cabeza blanca y abombada que estaba sujeta a la vara de una caja metálica. Debajo de la caja había dos orugas. ¡Un minirrobot me estaba mirando!

Con un suave zumbido, los ojos del robot se pusieron en movimiento y se dirigieron hacia el cristal. En el extremo de uno de sus brazos tubulares tenía dos dedos de metal. El robot los

Un pequeño robot me estaba mirando

apoyó contra el cristal. Se oyó un clic, y la mano del robot empezó a girar muy deprisa, como un taladro, y sus afilados dedos empezaron a perforar el cristal. Al cabo de un momento, un pequeño círculo de cristal se desprendió del panel grande y cayó al suelo. La mano-garra del robot se cerró, retrayéndose dentro del tubo metálico del brazo, y luego volvió a aparecer con un único dedo: ¡era una diminuta sierra de color plata! El robot colocó la sierra por el agujero y empezó a cortar el cristal.

Lo observé mientras cortaba los cuatro costados de un gran cuadrado. Al final, con la otra mano, dio un golpe en el cristal y el cuadrado cayó al suelo con un fuerte golpe. El robot metió la cabeza dentro de mi prisión de cristal.

—Por favor, ven conmigo —dijo con voz metálica, como una radio mal sintonizada.

Sin pensar de dónde venía ni por qué me estaba ayudando, lancé mi mochila fuera, luego a Perro Loco y, finalmente, pasé por el agujero. ¡Era libre!

—¿Adónde vamos ahora? —le pregunté al robot.

—Por favor, ven conmigo —repitió. Entonces, mirando el cuerpo inerte de Perro Loco, el robot preguntó—: ¡Oooh! ¿Kaput?

—Sí, kaput —repuse.

—Pobre Perro Loco. Luego lo arreglaré —dijo el robot.

—¿Conoces a Perro Loco? —pregunté, ahogando una exclamación.

—Por supuesto —respondió el pequeño robot.

Luego retrocedió, dio media vuelta y salió zumbando por el pasillo.

Huida del museo

Me apresuré detrás del robot, pasando entre las jaulas de esos espeluznantes extraterrestres de mirada fija. Corrimos hasta el vestíbulo y entramos en la pequeña taquilla de entradas.

—Un momento. ¿Tienes un nombre... o un número de serie, o algo? —le pregunté al robot mientras él empujaba la puerta trasera de la taquilla, que daba a una escalera de emergencia. Eran unos escalones en el exterior que conducían a un pequeño patio trasero.

—ROB, robot operativo personal —contestó.

—Encantado de conocerte, Rob —dije—. Yo me llamo Charlie.

—Igualmente, estoy seguro —respondió Rob.

—¿Cómo es que conoces a Perro Loco... y adónde me llevas? —pregunté, repentinamente consciente de que ese robot de aspecto angelical podía llevarme directamente a la cámara de torturas de los patanes.

Por toda respuesta el pequeño robot se detuvo arriba de las escaleras y se abrió una trampilla del pecho.

—Perro Loco es un buen amigo. Nos construyeron al mismo tiempo —dijo Rob con un zumbido mientras se sacaba este trozo de papel.

—¡Jakeman! —exclamé—. Eres otro de los inventos de Jakeman. ¡Oh, es genial! ¿Has venido a rescatarme?

—No —dijo Rob.

—Pero...

—¡Shhh! —hizo Rob, mientras movía las pequeñas antenas que tenía en la parte superior de la cabeza—. Percibo la presencia de los guardias de seguridad del Consejo muy cerca. Ahora, cállate y sígueme.

Pensé que a Rob le costaría bajar las escaleras, pero las orugas con que se deslizaba se doblaban hacia abajo y se adherían con fuerza a los bordes de los escalones. Con un suave zumbido del motor, Rob bajó hasta el final, y yo tras él. Cuando llegamos, nos detuvimos, escondidos en la sombra de un muro, al lado de una abertura que daba a una calle. Rob sacó la cabeza y miró a un lado y a otro.

—No hay peligro —zumbó.

Los dos nos apresuramos a lo largo de la mal iluminada calle.

—¿Adónde vamos? —volví a preguntar.

—Nada de hablar. Hay patanes por todas partes —dijo Rob, muy severo—. Por aquí.

Su motor eléctrico zumbaba. Rob me llevó por un tortuoso camino que se perdía en las complicadas callejas de la Ciudad de los Patanes.

Mientras corríamos por el oscuro callejón, oímos las pisadas de los extraterrestres que nos seguían.

—Por aquí —susurró Rob, empujándome por una puerta mientras un grupo de patanes babosos emergían de la penumbra. Yo aguantaba la respiración mientras pasaban por delante de nosotros, pero de repente uno de ellos se detuvo y olisqueó el aire.

—¿Sssnoe ssslep ssslad? —preguntó otro de los guardias.

«¡Oh, socorro! —pensé—. Ese maldito bicho ha detectado mi olor.» Pero, entonces, Rob levantó un brazo y soltó algo en el aire.

—Ssspana ssspo —dijo el primero de ellos, volviendo a olisquear.

Y todos siguieron avanzando.

–¿Qué has lanzado
en el aire?
–pregunté
cuando
los patanes ya
no nos podían oír.

¡OLISQUEO!

–Ambientador
–respondió Rob–.
¡Siempre los despista!

¡La gran peste! ¡Puaj!

Continuamos avanzando, ocultándonos y
agachándonos, colándonos y escabulléndonos
por los callejones. Seguí a Rob hasta un patio
oscuro y sucio que estaba rodeado por un
montón de casas en ruinas.

–¡Garrr! ¡Garrr! ¡Garrr!

Un profundo y estruendoso ladrido rompió
el silencio, y una bestia de cuatro patas,
enloquecida y gruñona, apareció corriendo hacia
nosotros. Tenía un cuerpo robusto y fuerte, de
piel manchada, y una cara fea y desagradable.
Con unos ojos que despedían fuego y
enseñándonos sus colmillos brillantes, se lanzó
contra nosotros.

–¡Uau! –gritó Rob

–¡Socorro! –grité yo–. ¿Qué demonios es eso?

109

–Es un perro de caza Sssnorgler, un peligroso perro guardián –gimió Rob.

¡El perro Sssnorgler!

Por suerte, en cuanto esa masa furiosa saltó hacia nosotros, el fuerte tirón de la cuerda que lo sujetaba por el collar lo detuvo en seco. El perro cayó al suelo soltando un fuerte aullido. Entonces, se abrió una ventana de una de las casas y un enorme patán miró hacia fuera.

–¿Sssnee sslar sslam? –gritó.

–¡Corre! –susurró Rob.

Y los dos salimos pitando del patio por un corto callejón antes de que el patán tuviera tiempo de vernos. Pero el callejón no tenía salida: una puerta de madera arqueada nos cerraba el paso.

—¡Oh, no! —zumbó Rob—. Nos hemos equivocado de camino.

Intenté abrir la puerta, pero estaba cerrada. Mientras buscaba el esqueleto de dedo en la mochila, el frenético Sssnorgler apareció de repente por el otro extremo del callejón, escupiendo y sacando humo como una tetera hirviendo. Del collar le colgaba un corto trozo de cuerda: ¡se la había roto a mordiscos! Soltando un fuerte bramido, ese monstruo avanzaba por el callejón hacia nosotros.

Yo temblaba como una hoja. Con dedos inseguros, introduje el esqueleto de dedo en el cerrojo y, después de dar vueltas a un lado y a otro, por fin oí un clic. Abrí la puerta de un empujón, salimos al oscuro pasaje que había al otro lado y la cerré rápidamente. Al cabo de una fracción de segundo, toda la puerta tembló por el efecto de un fuerte golpe.

Mientras el perro empujaba y rascaba la puerta por el otro lado, saqué la linterna de mi equipo de explorador y la encendí. Nos encontrábamos en un pasaje que se abría entre dos casas.

—Deprisa, antes de que eche la puerta abajo —susurró Rob.

Corrimos hacia la puerta que había al otro

extremo del pasaje. Rob la abrió despacio y miró al otro lado.

—¡Ajá! Por favor, ven conmigo —zumbó otra vez.

Los dos corrimos al otro lado de una ancha calle y cruzamos unas altas puertas de madera que había al final.

Salimos a una plaza vacía, rodeada de tiendas y tenderetes que ya estaban cerrados. El pequeño robot avanzó hacia el centro y, después de observar el suelo, enganchó los dedos metálicos a un tirador que había en una tapa de alcantarilla. Con un fuerte zumbido del motor a causa del esfuerzo, la levantó, dejando al descubierto un oscuro agujero en el suelo.

«¡Uau! —pensé—. Es increíblemente fuerte para ser un robot tan pequeño.»

—Entra —susurró Rob.

En el agujero había unos escalones. Me agaché, me metí dentro y descendí tan deprisa como pude.

Rob zumbaba detrás de mí. Había cerrado la tapa. Los escalones estaban tallados en la roca y nos llevaron a un enorme túnel subterráneo que debía de tener unos cuatro metros de ancho. Bajamos a una estrecha pasarela de piedra. Por

debajo de ella corría una corriente de agua y una horripilante peste inundaba el ambiente.

—¡Puaj! —exclamé, y mi voz resonó en los muros arqueados—. Esto es asqueroso. ¿Dónde demonios estamos?

—¡En la cloaca! —zumbó Rob—. ¿Qué problema hay?

—¡El olor! —dije, tosiendo y atragantándome—. ¿Cómo puedes soportarlo?

—Soy un robot —repuso Rob—. No tengo olfato. Vamos, estamos rodeados por el peligro.

«No lo dice en broma», pensé mientras lo seguía por la pasarela que corría por uno de los laterales del canal. Si ya os podéis imaginar cómo huele una cloaca humana, os puedo asegurar que una cloaca de patanes es mil veces peor. ¡Puajjjj!

—Tienes suerte de no ser consciente de esta aventura —le susurré a Perro Loco, a quien todavía llevaba en brazos y que pesaba cada vez más: ¡él tenía un olfato eléctrico muy sensible!

Estábamos de nuevo en una especie de laberinto, pero esta vez bajo tierra. Seguí a mi pequeño amigo metálico por un canal tras otro, algunas veces atravesando puentes de madera que cruzaban las asquerosas aguas para llegar a un túnel que había al otro lado.

—Ya casi estamos —informó Rob.

—¿Ya casi estamos dónde? —pregunté.

¡Vaya peste!

Con toda esa excitación, había olvidado averiguar por qué el robot me había rescatado.

–En casa de mi amo –dijo el robot.

Oh, oh. No me gustó lo que dijo...

El hombre verde y la señora esmeralda

El túnel dibujaba una amplia curva, al final de la cual nos detuvimos.

–Hemos llegado –dijo Rob.

Miré a mi alrededor. El túnel se bifurcaba y desaparecía en la oscuridad en ambas direcciones.

–Aquí no hay nada –susurré.

Rob soltó una especie de suspiro metálico y, con un zumbido, metió una mano dentro del brazo tubular y volvió a sacarla convertida en una llave de cuatro puntas. Entonces extendió

el brazo hasta hacerlo muy, muy largo, y alcanzó una roca que había casi tocando el techo. Allí insertó la llave. Rob giró la mano y oímos un clic profundo, como procedente del interior de la roca.

Luego se oyó un fuerte chirrido: una sección de la pared del túnel se deslizó hacia delante por encima de unas pulidas guías de piedra. Tuve que quitarme de en medio para evitar que me empujara a las fétidas aguas que corrían bajo nuestros pies.

Rob me condujo, por detrás de la gruesa sección de muro, hasta un pasaje secreto. El muro se cerró detrás de nosotros, y dejamos de oír el rumor y el fétido olor de la corriente de la cloaca.

–Ahora estamos a salvo –zumbó Rob.

Pero yo continuaba sintiéndome nervioso.

El pasaje secreto subía por una empinada cuesta hasta desembocar en una trampilla que quedaba encima de nuestra cabeza. Rob, con chirridos y zumbidos, desplegó dos finas patas metálicas extensibles y se izó hasta llegar a la portilla para abrirla. Luego continuó extendiendo las patas hasta que hubo atravesado el agujero. Una vez estuvo arriba, encogió primero una de las patas y luego la otra.

–¡Vamos, tortuga! –dijo, dirigiéndose a mí.

Y entonces extendió los dos brazos hacia abajo, hasta mí, cogió a Perro Loco y lo subió por la portilla. Después, ese servicial robot volvió a alargar los brazos hasta mí, me izó y me depositó en el suelo, a su lado. Miré a mi alrededor con nerviosismo: estábamos en una habitación oscura y pequeña; no sabía qué podíamos esperar.

¡Oh, socorro! Allí, bajo un círculo de luz procedente de una lámpara había dos monstruos verdes peludos, jorobados y cubiertos de helechos. Estaban agachados en el suelo, estudiando unas grandes hojas de papel. «¿Qué demonios son? —me pregunté, empezando a ser presa del pánico—. ¿Es este el lugar de reunión de la Federación Patánica?» Me di la vuelta con intención de huir, pero justo en ese momento uno de los monstruos giró su peculiar cabeza hacia mí.

—¡Ah! —exclamó, poniéndose en pie y rascándose un costado del cuerpo cubierto de helechos—. Tú debes de ser Charlie Small, de quien tanto hemos leído en los periódicos patanos.

La criatura se dirigió hacia mí renqueando y me quedé pasmado al ver que no era un monstruo: ¡era un hombre! Era un hombre de ojos grandes, mirada fija, pelo revuelto y descuidado y una barba enredada y tan larga que le llegaba a la cintura. De la ropa, el pelo y las cejas le sobresalían unas largas hojas de helechos. Era lo mismo que empezaba a aparecer en mis propias ropas.

La otra criatura se puso en pie y se acercó a nosotros. Era una mujer. Tenía el cabello largo y oscuro, lleno de pequeñas algas. También tenía

la ropa cubierta de helechos de color esmeralda
que hundían sus raíces en las húmedas costuras
de su vestido.

¡¡Ese monstruo verde y jorobado era un hombre!!

—Encantada de conocerte —dijo la mujer, ofreciéndome la mano—. Me llamo Harmonia, y este es mi esposo, Theolodito, aunque todo el mundo lo llama Theo. Tú eres el primer ser humano que vemos en cinco años.

—Bienvenido a nuestra humilde morada, Charlie —dijo Theo.

Nos dimos un apretón de manos. Yo ya me sentía un poco menos nervioso al ver que esa pareja parecía tan amistosa. Parecían muy enfermos, pero esa mujer tenía algo que me resultaba extrañamente familiar: era la manera de moverse y de hablar que tenía.

—Ven a sentarte —dijo ella—. Pareces exhausto.

Estaba agotado después de mi huida por la Ciudad de los Patanes. Harmonia me condujo hasta un taburete cubierto de viejos trapos atados con cuerda, al lado de la lámpara. Me dejé caer en él y estiré las piernas, que me dolían.

—Toma, cómete esto —dijo Theo, dándome un bocadillo.

—Oh, gracias —dije—. Eh... no será sssspleurk, ¿verdad?

—No, no te preocupes —respondió Harmonia, sonriendo—. Es un poco de ternera en conserva que nos queda de la despensa de nuestro globo espacial.

«¿Un globo espacial?», pensé, extrañado, mientras le daba un mordisco al delicioso aperitivo. Estaba seguro de haber oído hablar de un globo espacial antes. Entonces, por casualidad, miré a mi alrededor y vi una fotografía que se encontraba encima de la mesa de tosca fabricación. Era una foto de Harmonia con una niña pequeña, pecosa y de mejillas redondas, en las rodillas. Al fijarme en ella tuve que reprimir una exclamación, pues de repente me di cuenta de quién era esa niñita de mejillas redondas y de dónde había oído hablar de un globo espacial.

La niñita de mejillas redondas

–¿Qué sucede, Charlie? –preguntó Harmonia–. No hay ningún motivo para tener miedo aquí.

–Esa es Philly, de pequeña –exclamé, señalando al foto–. ¡Vosotros debéis de ser la mamá y el papá de Philly, que desaparecieron en su globo hace seis años!

–¿Conoces a nuestra Philly? –exclamó Harmonia y, de repente, se desmayó.

(Ved mi diario La tumba de la momia)

El señor y la señora Jakeman

Theo se arrodilló a su lado y le dio unos golpecitos en la mano mientras le hablaba con voz suave. Al cabo de unos segundos, Harmonia volvió en sí y me miró con los ojos llenos de lágrimas.

–Lo siento, Charlie, pero ha sido una conmoción oír el nombre de Philly en labios de un completo desconocido. No la hemos visto desde que era un bebé. ¿Está bien?

–Philly está bien –dije–. Aunque os echa de menos constantemente. Recuerda haber visto cómo os alejabais en el globo espacial de Jakeman, pero nadie sabe qué sucedió después de eso.

–¡Querrás decir qué no sucedió! –exclamó Theo–. Visitamos planetas desconocidos, fuimos atacados por avispas espaciales intergalácticas, nos hicimos amigos de una nación de bacterias gigantes y, justo cuando estábamos de camino de regreso a casa, el globo tuvo un escape.

–Tuvimos que hacer un aterrizaje de emergencia en este planeta –continuó Harmonia–. Le pusimos un parche al globo, pero nos dimos cuenta de que, durante el aterrizaje, el eje de transmisión se había roto. Intentamos encontrar un recambio de la pieza, pero los patanes a quienes preguntamos se mostraron muy hostiles.

—No me sorprende que no os ayudaran —dije—. A mí tampoco me ayudaron. Fui perseguido por una manada de cazadores y luego me encerraron en un museo.

—Sí, hemos leído las noticias sobre un terrícola que se ha visto en la ciudad. Por eso enviamos a Rob a buscarte y a traerte aquí, Charlie —dijo Theo.

—Nosotros también fuimos perseguidos por los cazadores —dijo Harmonia—. Theo fue capturado y llevado al bloque de la Inquisición. Tuvo que soportar las horribles torturas de cosquillas en los pies y de quemaduras chinas. Luego, un día, un patán de seguridad se olvidó de cerrar su celda y Theo consiguió escapar. Rob y yo lo encontramos unos días después, vagando por los eriales anaranjados, totalmente aturdido.

—Ya habíamos escondido nuestra nave espacial en un profundo agujero de los campos de cráteres —continuó Theo—. Así que solo teníamos que encontrar un lugar seguro para nosotros. Y encontramos esto. Debe de ser una especie de búnker bajo tierra, construido para soportar un ataque intergaláctico. Por suerte, es muy viejo y parece que los patanes se han olvidado de él. Estamos aquí dentro desde entonces.

–¿Y todavía no habéis encontrado nada para sustituir el eje de transmisión? –pregunté.

–No. El acero es muy raro aquí. Por eso los patanes lo construyen casi todo de roca –respondió Theo–. Casi todo el metal que tienen es una especie de arrabio, que es demasiado frágil para lo que necesitamos. Estamos buscando una barra larga y pulida de acero o de tungsteno, pero ya casi hemos perdido la esperanza.

–¿Habéis perdido la esperanza? ¿Por qué? –pregunté, sorprendido.

–Harmonia y yo estamos demasiado débiles ya para buscarlo. Es el clima, ¿sabes? –explicó, sacudiendo los helechos que le colgaban de los hombros–. Con el paso de los años te deja sin energía. Hasta ahora hemos confiado en Rob, pero todavía no ha encontrado nada.

De repente, tuve una inspiración.

–¿Cuánto tiene que medir la barra de hierro? –pregunté, porque acababa de recordar dónde había visto una barra larga y pulida de hierro, y estaba seguro de que no estaba hecha de arrabio.

–Unos dos metros y medio. ¿Por qué? –preguntó Harmonia.

–¿Habéis visto alguna vez los tridentes de los patanes de seguridad? –pregunté.

Un plan... ¡más o menos!

—Sí, pero... ah, claro, ¡el mango de un tridente!
–dijo Theo, dándose una palmada en la frente–.
¡Cómo he podido ser tan estúpido! ¿Por qué no
pensaste en ello, Rob? Tú eres el que tiene un
ordenador por cerebro.

—Pensé, intenté y abandoné –zumbó el robot.

—¿Qué quieres decir, Rob? –preguntó
Harmonia–. Nunca nos hablaste de un tridente.

—Quería dar una sorpresa –explicó Rob–. La
primera vez que vi patanes de seguridad, supe que
mango de tridente era lo que necesitabais para eje
de transmisión. Descubrí que están almacenados
dentro del bloque de la Inquisición, así que fui
allí de noche mientras estaba de ronda buscando
restos de comida. Oh, nunca más.

—¿Por qué? ¿Qué sucedió? –pregunté.

—Bloque de la Inquisición es mal lugar. Muy
vigilado por peores patanes. No hay forma de
entrar, así que tiré cubos de basura al suelo para
despistar guardias e intenté colarme por puerta
principal. Casi había conseguido, pero caí al
suelo. Mientras me ponía en pie, guardias me
alcanzaron. «Vas a ir a la cámara de torturas
–rieron–. Te freiremos por dentro. Te borraremos
el disco duro. Te sacaremos los brazos y los
venderemos como chatarra.» Mis diodos
temblaban de miedo.

—¡No me sorprende! –dijo Theo.

—Me puse a girar a toda velocidad –continuó el pequeño robot–. Resbalé entre sus escamosos dedos y salí zumbando, con babosos patanes pisándome talones. Los despisté por calles, y me escondí en asqueroso montón de basura hasta día siguiente. Tengo miedo de pensarlo. Bloque de la Inquisición es impenetrable, y nunca voy a volver.

—Oh, pobre Rob –se lamentó Harmonia, dándole unas palmaditas en la cabeza.

—No deberías haberlo intentado, robot bobo y valiente –dijo Theo con voz amable.

—Quería ir a casa –repuso Rob con un leve suspiro.

Nos quedamos en silencio, pensando en nuestros hogares a años luz de este mundo alienígena. ¿Nos íbamos a quedar a vivir en las cloacas de los patanes por el resto de nuestra vida?

—Yo iré a buscar un tridente –dijo Theo de repente.

—No seas tonto, querido –dijo Harmonia–. No estás bastante fuerte para cruzar la ciudad sin ser visto.

—Pero... –empezó a decir Theo, pero lo interrumpí.

–No, tu esposa tiene razón. Yo iré –afirmé.

–Es mucho más peligroso para un chico –dijo Theo–. Incluso para uno tan osado como tú.

–Oh, no te preocupes –repuse, y aunque sabía que tenían razón y que era una misión casi imposible, estaba decidido a intentarlo–. Pero necesitaré que Rob me muestre el camino –añadí.

–¡De ninguna manera! –exclamó Rob–. ¡Demasiado miedo!

–Por favor, Rob –supliqué–. No puedo encontrarlo yo solo. Y tú me rescataste en el museo... eres el robot más valiente que he conocido.

–¿De verdad? –dijo Rob. Su antena se puso tiesa de orgullo.

–De verdad: nunca he conocido un robot tan valiente –dije, agradeciendo a mi estrella de la suerte que Perro Loco no pudiera oírme.

Rob se quedó callado un rato. El ordenador de su cerebro reflexionaba sobre todas las opciones.

¡De ninguna manera!

—De acuerdo —dijo, por fin—. Iré contigo.

—Todavía no estamos seguros de que un niño pequeño deba ir allí —dijo Theo.

Harmonia parecía desolada, pero después de mucho discutir, los dos se dejaron convencer de que no había alternativa y de que yo debía intentarlo a la noche siguiente. Mientras tanto, tendría que descansar.

Esperando la salida

El búnker es un lugar escalofriante, húmedo y sin oxígeno, de muros altos y lisos, y de oscuras sombras por todos los rincones. Me resultaba difícil imaginar que los padres de Philly hubieran estado viviendo allí durante los últimos cinco años sin la luz del día. ¡Entiendo por qué tienen este aspecto tan pálido y decaído!

En medio de la habitación hay una única lámpara que proyecta un pequeño círculo de luz. Allí Theo y Harmonia han amontonado sus pocas posesiones: un montón de ropa de cama; algunas herramientas; un pequeño fogón de gas procedente del globo espacial para cocinar; un cuenco para lavar con el agua que cae de un caño en la pared; unos cuantos libros, bolígrafos y lápices; y, lo más importante de todo, las grandes hojas de papel que estaban leyendo cuando yo llegué. Son los planos del globo, llenos de anotaciones a

mano y de complicados
cálculos.

Los dos parecieron muy
felices al ver a un ser
humano, y cuidan de
mí con todo esmero.
Todo el tiempo me
dedican sus atenciones
y me ofrecen los mejores
bocados de la reserva
de comida que han
recogido por la Ciudad
de los Patanes gracias
a las excursiones nocturnas
de su fiel Rob. He pasado
las últimas horas respondiendo

Jakeman cuando
era joven

sus preguntas sobre Philly y Jakeman, ¡y me han
enseñado un álbum de viejas fotografías en las que
aparecen Jakeman, muy elegante, de joven y Philly
cuando era un bebé!

Yo les he contado cosas de mis abundantes
aventuras; cómo Philly me rescató de manos de
Craik y cómo nos separamos cuando el Gravitador
salió disparado hacia el espacio (pero ¡omití el
detallé de los cacahuetes que encallaron la palanca
de altitud!). Al final, después de bostezar como un
descosido, me fui a dormir a una cama hecha con
trapos que Harmonia me había preparado al lado
de la suave luz de la lámpara.

Esta mañana he desayunado unos helechos verdes, de los que crecen en los muros, fritos con la sabrosa mantequilla de ssspleurk. Luego eché un vistazo a los planos del globo. Tengo que saber con exactitud lo que estoy buscando: ¡si consigo hacerme con un tridente y escapar con el cerebro entero, no quiero descubrir después que es un centímetro demasiado corto para cumplir su función!

Acabo de echarme una corta siesta y, al despertar, he tenido una fantástica sorpresa. ¡Mientras dormía, Theo y Rob han conseguido reparar a Perro Loco! Todavía tiene las articulaciones un poco oxidadas y duras, y su ladrido es muy agudo —lo cual, creo, lo incomoda— pero, a parte de eso, está como nuevo. Lo saludé con grandes muestras de alegría; y cuando él vio a su viejo amigo Rob, la cola se le puso a vibrar de emoción. Los dos robots empezaron a correr por todo el búnker: Perro Loco ladrando y Rob dando vueltas y vueltas de alegría.

Ahora acabo de escribir en el diario, y ya es hora de salir a cumplir mi misión. Ya continuaré escribiendo después.

El bloque de la Inquisición ¡Socorro!

–¡Oh, Charlie, ten cuidado! –dijo Harmonia con lágrimas en los ojos mientras yo me colgaba la mochila a la espalda y me dirigía a la trampilla.

–Esto no está bien –dijo Theo–. Voy a ir contigo.

Pero cuando intentó cruzar el búnker caminando, tropezó, y todos nos dimos cuenta de que no estaba lo bastante fuerte para salir en una misión que podía exigir correr, saltar y entrar en un combate cuerpo a cuerpo.

–Tú debes quedarte a cuidar de Harmonia. Dentro de una hora, id al escondite del globo –les dije–. Si tengo éxito, nos encontraremos allí; si me capturan, no habréis perdido nada y podréis regresar aquí.

Harmonia me dio un beso y Theo me dio un apretón de mano. Luego me metí por la trampilla con Rob y Perro Loco.

Seguimos a Rob por los sinuosos túneles de la alcantarilla. Al final llegamos ante unas rocas que se sobreponían formando una escalera que conducía hasta una tapa de alcantarilla. Allí, Rob volvió a hacer su truco para hacerse más alto. Levantó la tapa, comprobó que no hubiera moros en la costa y, luego, salió a la calle.

–Shhh, no hagáis ningún ruido –susurró

mientras yo salía detrás de él con Perro Loco sobre el hombro.

Nos encontrábamos en uno de los extremos de una avenida muy ancha y llena de los azules árboles patanos. Al otro lado de la calle vi la parte trasera de un edifico alto e imponente construido con bloques de piedra anaranjada. Un muro alto de bordes en punta recorría la pared trasera y se unía a ella en uno de los extremos formando un ángulo recto. Corrimos hasta allí y nos ocultamos en la sombra.

—Este es el bloque de la Inquisición —susurró Rob.

—¿Puedes hacerte bastante alto para llegar a las ventanas? —pregunté.

—No, son demasiado altas —dijo Rob, mirando hacia arriba con un chirrido.

En ese momento oímos pisadas de patanes procedentes de detrás de la esquina. Los tres nos apretamos, ocultándonos en las sombras, al tiempo que un centinela patoso aparecía por la esquina con un tridente sobre el hombro. Aguanté la respiración y apreté el hocico de Perro Loco mientras esperaba a que el centinela pasara de largo. Notaba el cuerpo del perro vibrando por la frustración: le hubiera encantado hincar los dientes en el culo del patán, pero consiguió reprimirse. (He dibujado un plano del lugar en el que estábamos escondidos.)

El centinela pasó por delante del rincón en que

¡Sin escala!

Bloque de la
Inquisición

Jardín

La puerta del sótano

Entrada principal

Puerta

Muro del jardín

Nuestro
escondite
en la
sombra

Guardias patanes

Ruta del
centinela

Alcantarilla   Avenida

nos escondíamos y llegó a una puerta que se
encontraba en el muro. Comprobó que estuviera
cerrada y continuó su ronda hasta que desapareció
por la otra esquina.

—Hubiéramos podido abalanzarnos sobre él,
quitarle el tridente —se quejó Rob, y Perro Loco
soltó un suave gruñido de asentimiento.

—No era lo bastante largo. Parecía más bien un
arma de mano, y necesitamos uno que sea largo
como una lanza. Sé que existen. Los he visto
—repuse—. Vamos, intentemos abrir esa puerta que
el patán ha comprobado. Seguramente nos podrá
permitir el acceso al edificio.

Nos dirigimos a toda prisa hasta la puerta.
Saqué el esqueleto de dedo de mi equipo de
explorador y lo inserté en la cerradura. Le di un
par de vueltas y enseguida oí un clic, así que abrí

la puerta de un empujón. Soltó un fuerte crujido al abrirse a causa del óxido de las bisagras, pero nadie dio la voz de alarma. Con el corazón acelerado, crucé la puerta y salí a un pulcro jardín lleno de elegantes matorrales y flores de pétalos de color turquesa.

Los tres nos deslizamos entre las plantas hasta la parte trasera del edificio. Una vez allí vi que había una entrada trasera al bloque de la Inquisición. Una gran puerta corredera y acristalada daba a una habitación vacía que estaba iluminada con una luz tenue. Probé a girar el picaporte, pero esa puerta tampoco se podía abrir, y no tenía cerradura: estaba cerrada por dentro.

—Te toca a ti, Rob —murmuré.

El robot giró la mano con un clic y sacó el taladro que había utilizado en el museo para rescatarme. La herramienta no hacía ningún ruido, pero en cuanto se puso en contacto con el cristal, un agudo chirrido quebró el silencio de la noche.

—¡Shhh, por lo que más quieras! —susurré con voz ronca.

Pero Rob hizo el trabajo con rapidez, así que al cabo de un segundo un pequeño círculo de cristal cayó al suelo. Nos quedamos callados esperando oír el grito de algún guarda, pero tuvimos suerte otra vez y nadie se percató de nuestra presencia. Entonces Rob extendió uno de sus brazos por el agujero y descorrió los cerrojos interiores.

En cuanto entré en la habitación tuve la mayor impresión de mi vida: ¡allí, pegado en la pared, había un cartel en el que se veía un burdo dibujo de mi rostro! Se leía un texto en patánico, pero Rob, riendo disimuladamente, me lo tradujo. Esto es lo que decía:

¡Versión traducida!

UN PELIGROSO TERRÍCOLA ANDA SUELTO POR PATANIA

Capturadlo a cualquier precio. Cualquiera que ofrezca ayuda al invasor sufrirá el vaciado de cráneo del Sorbesesos.

Muy peludo
Sin escamas
Ojos diminutos
Cuerpo lanudo
Piel horriblemente seca y rosada
Cuello flaco

Por orden de la Federación Patánica

—¡Se te parece mucho! —dijo Rob, riendo.

En la guarida de los patanes (¡Shhh!)

Silenciosos como ratones, cruzamos la habitación y entramos en una enorme sala. Delante de nosotros se encontraban las puertas principales, y a través de los cristales esmerilados se veían las siluetas de seis vigilantes patanes que montaban guardia fuera. A nuestra izquierda, una ancha y sinuosa escalera conducía al piso superior.

–Mi amo me dijo que la armería está en el primer piso, al lado de la cámara de torturas –zumbó Rob, así que subimos rápidamente por las escaleras hasta el piso de arriba.

En el rellano encontramos varias puertas de doble batiente decoradas con unos grandes rombos tachonados. Encima de las puertas, en el dintel, se leía la siguiente inscripción:

¡SSPREASH SAMOVA SSSLISH SSSEBOM!

–«Donde todos los secretos se desvelan» –tradujo Rob–. ¡Oh, vaya, aquí es donde deben guardar el Sorbesesos!

Despacio, hice girar la gran manecilla de hierro del picaporte. A pesar de que la puerta era increíblemente gruesa, se abrió con gran suavidad. Al otro lado todo estaba oscuro, así que saqué mi linterna y la encendí.

–¡Horror! –exclamé.

Nos vimos rodeados de las más terribles máquinas de tortura. Había la máquina de hacer cosquillas en los pies, en la cual la víctima estaba atada mientras una gran rueda llena de plumas giraba constantemente ante las plantas de sus pies. Al lado de la máquina de cosquillas se encontraba una horrible mesa de granito y una silla.

—¿Y esto qué es? —le pregunté a Rob.

—La máquina de empollar —respondió Rob, mientras leía las instrucciones en una pequeña placa—. Se ata al prisionero en la silla y se le obliga a hacer los deberes más aburridos, tediosos y tontos del mundo, día tras día tras día. Si el prisionero deja de hacerlos aunque sea un segundo, recibe una descarga eléctrica. ¡Al tercer día, la víctima ya está dispuesta a hablar!

—¡Es diabólico! —dije, estremeciéndome.

Pasamos por delante de una plataforma en la cual se exponía a las víctimas al acoso y burla de la audiencia, que les lanzaba verduras y las insultaba hasta que rompían a llorar. Cerca de allí, en un pilar de madera había unas esposas para sujetar a la víctima mientras se le hacían quemaduras chinas. Al lado se encontraba el Asustador, una mesa en la que se ataba a la víctima y encima de la cual colgaba una caja que contenía las arañas más grandes que yo había visto en mi vida. ¡Era una auténtica cámara de los horrores!

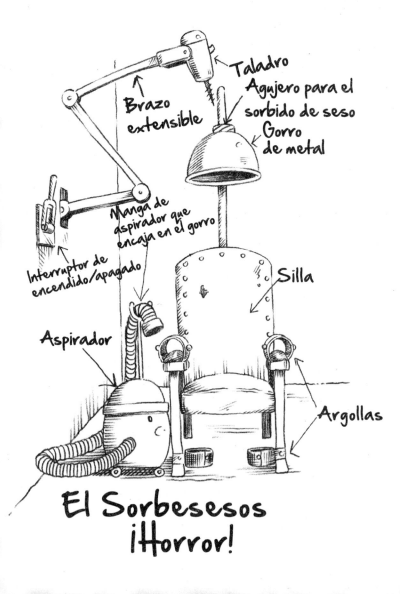

Taladro

Agujero para el sorbido de seso

Gorro de metal

Brazo extensible

Manga de aspirador que encaja en el gorro

Interruptor de encendido/apagado

Silla

Aspirador

Argollas

El Sorbesesos ¡Horror!

Pero entonces, cuando llegamos al otro extremo de la sala, vimos el temido Sorbesesos, que consistía en una silla con un gorro metálico fijado a un poste ajustable sujeto a ella. El gorro, que se colocaba en la cabeza del prisionero, tenía un agujero en medio y, sobre el mismo, había un taladro fijado a un brazo extensible. Al lado de la silla se encontraba un potente aspirador con una larga manga que se enroscaba en el agujero del gorro y que sorbía lo que hubiera dentro. Detrás de la silla, en un estante de la pared, vi una hilera de potes de cristal y ¡dentro de cada uno de ellos, sumergidos en formol, había un cerebro!

—¡Oh, socorro! —susurré, con un escalofrío de miedo. En uno de los potes, había una etiqueta que ponía «Ssslavia»—. Ya se han ocupado del propietario del museo, ¡aunque no estoy seguro de que nadie se dé cuenta de que le han quitado el cerebro! —añadí—. Vamos, salgamos de aquí.

Salimos por una puerta trasera que nos llevó a un pasillo ancho y vacío. Oíamos las voces distantes de los guardas patanes, procedentes de una habitación que había al final del pasillo.

—¡Ooooh! Esa debe de ser la sala de guardia —dijo Rob, que empezaba a estar asustado.

—¡Grrr! —gruñó Perro Loco en voz baja.

Mientras nos deslizábamos en silencio por delante de cada una de las puertas, yo escuchaba por si se oía algo al otro lado y las abría un centímetro o dos. La primera habitación era una cantina tenuemente iluminada; la segunda habitación estaba totalmente a oscuras, pero ¡oí ronquidos de patanes y la volví a cerrar rápidamente! La tercera era una gran gimnasio... pero en la pared del fondo se encontraban las armas: ¡un enorme estante de madera lleno de cientos de brillantes tridentes!

Esquema del primer piso del bloque de la Inquisición

Gimnasio y armería

Almacén

Dormitorio de los patanes

Cocina

Cantina

Almacén

Habitación de las guardias

Oficina

Oficina

Cuarto de herramientas

Cámara de tortura

Sala de reuniones de la Federación

Rellano del primer piso

Nuestra ruta

Escaleras

Puerta al nivel inferior

Entrada principal

–¡Es aquí! –susurré, excitado, mientras iluminaba la habitación con mi linterna.

–¡Rrruff! –asintió Perro Loco, un poco demasiado fuerte.

–¡Shhh, mecanimal ruidoso! –murmuró Rob, cuyo nerviosismo aumentaba a medida que nos acercábamos a los guardias.

Perro Loco parecía encendido de rabia y gruñó todavía con más fuerza.

–Callaos los dos –dije–. No os podéis poner a discutir ahora. Los guardias están justo abajo, en el vestíbulo. ¿Es que queréis acabar en la cámara de tortura?

–Lo siento –dijo Rob.

–Uuuh –gimió Perro Loco.

–Eso está mejor –dije–. ¡Ahora, vamos!

Un montón de tridentes y de patanes

Cruzamos el gimnasio rápidamente hasta el estante de las armas. Había unos enormes tridentes largos como palos de golf y otros pequeños y afilados; tridentes con bolas de púas en las puntas y tridentes que podían ser disparados con arco. Visualicé mentalmente el plano del globo y elegí un tridente eléctrico de mango largo, el más largo que pude encontrar.

—Este servirá —les dije a mis compañeros mecánicos con un susurro.

Pero cuando quise sacar el arma del estante, esta se enganchó en algo. Le di un tirón y, de repente, unos treinta tridentes cayeron al suelo del gimnasio con un enorme estrépito. ¡Oh, socorro! ¿Qué había hecho?

Apagué la linterna al tiempo que las puertas se abrían y un patán bajito, gordo y de nariz larga aparecía por la puerta.

—¿Quién esssstá armando essste essscándalo? —siseó el patán—. Y si no tenéisss trabajo a esssta hora de la noche, ¿por qué...? —pero se calló de repente y olisqueó el aire con esa nariz llena de mocos—. Oh, vaya, ¿qué tenemosss aquí? —dijo, mientras alargaba la mano hasta el interruptor para encender la luz—. Vaya, sssi esss el esssspía terresssstre.

Dio un paso hacia el interior de la sala y dejó que las puertas se cerraran detrás de él.

Creí que el patán daría la alarma para pedir refuerzos, pero era evidente que quería atraparme él solo y llevarse toda la gloria. Por suerte, no iba armado. El patán empezó a avanzar despacio por el gimnasio pegado a una de las paredes.

Agarré el tridente y di unos cuantos golpes en el aire para practicar un poco. Al hacerlo, las puntas del tridente se encendieron con chispas eléctricas de color azul.

—Essspero que sssepas lo que hacesss con essso —se burló el patán—. No quisssiera que te electrocutarasss a ti misssmo. ¡Sss, sss, sss!

—No te preocupes por mí —repuse—. ¡Me he enfrentado a peores amenazas que tú, montón de grasa siseante y babosa!

—Bla, bla, bla, terrícola —se rio el extraterrestre.

Perro Loco soltó un gruñido muy fuerte.

—Cállate, chico, vas a alertar a los demás —dije, sin apartar los ojos del reptil.

Pero entonces un fuerte ruido procedente del centro del edificio me distrajo. Aprovechando el momento en que yo miraba hacia las puertas, temiendo que aparecieran más guardias, el traidor patán se lanzó hacia delante, se tiró de rodillas al suelo y patinó por el suelo pulido hasta el montón de tridentes. Rápidamente cogió uno de ellos y, con un ágil movimiento, se puso en pie y lanzó una estocada hacia mi pecho.

No me dio por poco, pero las chispas que despidió su arma me quemaron la camisa y sentí una sacudida en todo el cuerpo.

—¡Uuf! —resoplé, al tiempo que salía despedido hacia atrás y caía al suelo de espaldas.

El patán levantó el arma otra vez.

—Esss tan fácil —sonrió. Pero, al momento, gritó—: ¡Aaargh!

Perro Loco le había hincado los colmillos metálicos en el tobillo. El patán soltó el tridente y cayó al suelo soltando un gemido al tiempo que se llevaba las manos al tobillo.

Me puse en pie de un salto, levanté el tridente y lo lancé hacia él. El tridente se clavó en el suelo de madera, aprisionándole el cuello entre dos púas.

—¡Te tengo! —grité.

—Suéltame, terrícola —graznó el patán.

—Ni en sueños, tío —repuse.

Entonces cogí otro tridente del montón y dirigiéndome a mis compañeros, dije:

—Vamos. Theo y Harmonia ya deben de estar de camino al globo.

—Hay un pequeño problema, Charlie —zumbó Rob.

—¿Cuál? —pregunté.

—Esto —dijo, señalando hacia la puerta.

Allí, en silencio, había una hilera de patanes.

–¿Adónde creesss que vasss, terrícola? –sisieó uno de los reptiles.

No iban armados, pero parecían muy, muy enojados.

¡Y, entonces, se lanzaron a la carga!

¡La lucha con los patanes!

Al ver que los patanes se abalanzaban contra nosotros, levanté el tridente en el aire y lo moví hacia delante y hacia atrás, soltando una estela eléctrica a su paso. Al verlo, los patanes se detuvieron en seco.

–No os acerquéis –dije.

Así, si mantenía a raya a mis adversarios y no permitía que se movieran del centro de la habitación, tenía una ruta de escape hacia la puerta. Uno de ellos hizo ademán de correr hacia mí, pero volví a mover el tridente en el aire y tuvo que regresar a su posición inicial.

–Hissss –exclamó, al notar que una descarga le sacudía.

Pero ahora los patanes tenían la armería al alcance, así que cada uno de ellos tomó un tridente. Entonces se dieron la vuelta y atacaron todos a la vez.

Perro Loco soltó un potente aullido y los atacó. Empezó a morder los pies de todos los patanes que se le acercaban. ¡CRUNCH! ¡Tenía los colmillos en el trasero de uno de los patanes!

–¡Aaauuuu! –bramó el animal.

Al mismo tiempo, Rob se había lanzado a la carga deslizándose sobre sus orugas. Extendió uno de sus brazos y, con él, empezó a disparar unos pequeños cubos blancos. Uno de los cubos golpeó a un patán en la frente y lo tumbó al suelo. Uno menos.

–¡No sabía que tenías armas! –grité, mientras movía el tridente como un director de banda militar para ahuyentar al resto de reptiles–. ¿Qué son esos proyectiles?

Rat-a-tat-tat

–Cubitos –zumbó Rob, disparando una andanada más hacia otro de los patanes–. Mi vida empezó... –rat–a–tat–tat– como dispensador de cubitos de hielo, antes de que Jakeman... –rat–a–tat–tat– me adaptara.

–Pues ahora es muy práctico –dije.

Pero entonces, ¡maldición!, vi que un enorme patán había conseguido colocarse entre la puerta y yo. Miré hacia arriba y, por suerte, vi otra vía de escape: colgadas del techo, justo delante de mí, había una hilera de largas cuerdas de trepar, unidas entre sí. Corrí hacia ellas, cogí la que llegaba más abajo y me colgué de ella con una mano igual que hacía en mis tiempos de gorila. El otro extremo de la cuerda se deslizó por una guía metálica que colgaba del techo, así que levanté las piernas y solté un grito de Tarzán. Al pasar por encima de la cabeza del patán, le di un golpe al tridente y lo lancé por los aires.

Luego, como si fuera un saltimbanqui de circo, me solté, cogí el tridente al vuelo y aterricé en el suelo al otro lado del patán, que se había quedado pasmado. Ahora tenía en mi poder dos armas eléctricas.

–¡Corred! –grité al ver que el resto de patanes avanzaba por la sala del gimnasio.

(Ved mi diario *La ciudad de los gorilas*)

Eché a correr hacia la puerta. Perro Loco soltó al patán que tenía sujeto por la muñeca y corrió hacia mí. Rob también vino haciendo marcha atrás y sin dejar de disparar una lluvia de cubitos de hielo contra los patanes, que se vieron obligados a retroceder otra vez.

Salimos del gimnasio, cerré las puertas y las atranqué pasando uno de los tridentes por entre los tiradores. Lo hice justo a tiempo, porque al cabo de unos segundos los patanes cargaron contra las puertas. Estas temblaron a causa del golpe, pero el tridente aguantó y las puertas no se abrieron. Estábamos a salvo... ¡por el momento!

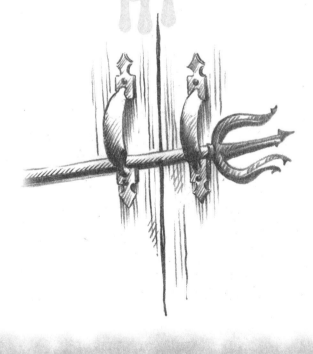

¡Escapamos de los patanes!

Corrimos por el pasillo al tiempo que cuatro guardianes que se encontraban fuera de guardia y que estaban medio dormidos salían del dormitorio. Al vernos, empezaron a perseguirnos de inmediato.

Entramos en la cámara de tortura. Activé una palanca de encendido que había en la pared, al lado del Sorbesesos, y el taladro se puso en marcha, girando como loco en el extremo del brazo extensible.

Los primeros dos patanes que aparecieron recibieron un golpe en el coco con el brazo extensible y cayeron al suelo. Los dos siguientes pasaron por encima de los cuerpos de sus compañeros y se lanzaron al ataque. No iban armados, pero rugían como leones enseñando sus colmillos largos como cuchillos. Uno de ellos se lanzó contra mí, pero Perro Loco se interpuso en su camino haciéndolo tropezar. El patán salió volando por el aire y aterrizó encima de la plataforma de la máquina de hacer cosquillas. Automáticamente, dos grandes anillos se cerraron encima del patán y lo aprisionaron.
Rob encendió el interruptor y la rueda de plumas empezó a girar.

−¡No! ¡Para, por favor! −gimió el patán, con los ojos llenos de lágrimas a causa de la risa.

Yo amenacé al otro patán con mi tridente de tres puntas y conseguí hacerlo retroceder hacia el interior de la cámara y que se sentara en la silla. Apreté un botón y una barra de metal bajó hasta sus muslos y lo sujetó. Entonces la silla se giró automáticamente hasta colocarlo de cara a la mesa y un altavoz que había encima de la misma se puso en marcha:

–Por cada respuesta equivocada, recibirás una descarga eléctrica. Primera pregunta: ¿cuánto hacen catorce y diecisiete?

–Eh... veinte, ¿sssí? –probó el patán, aterrorizado–. ¡No, essspera, ciento... eh... once, siete... eh... dos!

–Vámonos de aquí –les dije a mis amigos mientras los patanes, desesperados, intentaban calcular la suma con los dedos de las manos palmeadas.

Entonces, como medida de precaución, golpeé la caja de arañas con el tridente, y los peludos arácnidos salieron volando por el aire y aterrizaron encima de la cabeza del patán justo cuando estaba anotando la respuesta.

–¡Aaargh! –chilló.

–Demasiado lento –dijo la máquina y ¡bzzz! le soltó una sacudida eléctrica.

–¡Aauuuu! –bramó el reptil.

–Segunda pregunta –continuó la máquina de empollar mientras nosotros salíamos de la cámara y corríamos por la ancha escalera.

Perro Loco iba a la cabeza y, cuando llegó al final, se dirigió directo a las puertas de cristal de la entrada.

–Por ahí no, Perro Loco –bramé, pero ya era demasiado tarde.

Perro Loco chocó contra el cristal a toda velocidad. Se oyó un terrible estallido, el cristal reventó en diminutos trozos y mi perro mecánico bajó corriendo las escaleras hasta la calle. Rob y yo lo seguimos, dejando atrás a los centinelas, atónitos. Cuando se dieron cuenta de lo que había sucedido, nosotros ya habíamos bajado las escaleras y nos habíamos escondido en una calle lateral. Era plena noche y la ciudad estaba vacía.

–Seguidme –dijo Rob.

Y nos condujo por calles, callejones y escaleras, y al final llegamos a una terminal de ciclocarril.

–Esta será la forma más rápida de viajar –dijo.

Subimos las escaleras hasta llegar a la plataforma, que estaba vacía. Puse a Perro Loco y a Rob en la cesta de la primera de las bicicletas y salté sobre el sillín. Mientras empujaba los pedales de madera, vimos que un grupo de centinelas corría hacia el pie de las escaleras de la terminal. Iban armados.

Pedaleé más deprisa y pronto estuvimos corriendo a toda velocidad por encima de los tejados de las casas.

Aunque la bicicleta era tosca y estaba construida con una mezcla de piedra, madera y arrabio, era considerablemente rápida. Rob iba presionando los botones del manillar para cambiar los puntos de unión de los carriles y seleccionar nuestra ruta.

¡Dejad de hacer ruido!

Pero al cabo de poco, una fila de extraterrestres en bicicleta nos perseguía por el ciclocarril, y las luces de las casas de los alrededores se empezaron a encender. Los patanes, somnolientos, sacaban la cabeza por las ventanas y nos gritaban para que dejáramos de hacer tanto ruido. Pero entonces, al ver que se trataba de un espía terrícola, salían corriendo de sus casas y se unían a la fiesta. ¡Oh, horror, una ciudad entera de monstruos espaciales me estaba persiguiendo!

Yo resoplé y pedaleé por una inclinada pendiente hasta que llegamos a una terminal que se encontraba a gran altura por encima de la ciudad, en el borde del cráter.

Rob saltó de la bici de inmediato, cruzó la plataforma y se metió en un túnel que se abría en la pared del cráter. Perro Loco y yo lo seguimos. Oíamos a los patanes ciclistas a cierta distancia, aunque no estaban muy lejos. El túnel tenía una fuerte subida y pronto estuve resoplando mientras resbalaba en el suelo de grava. Al final salimos al aire libre, a la superficie del planeta. Estaba amaneciendo y el cielo lo teñía todo de un color limón pálido.

—Por aquí, ya no estamos lejos —dijo Rob.

Nos llevó por unas rocas sinuosas para evitar el suelo blando. Cuando los patanes salieron del túnel, habíamos aumentado la distancia que nos separaba de ellos. Y menos mal, porque ahora eran cientos los memos babosos que nos seguían, y oíamos el eco de sus gritos en la quietud de la mañana.

El globo "🙂"

Pronto nos encontramos en un área llena de cráteres; algunos de ellos no eran más grandes que un pozo, pero otros tenían cientos de metros de diámetro. Avanzamos entre ellos y Rob nos guiaba con determinación. Pero, de repente, se detuvo en seco.

—¿Qué sucede? —pregunté.

—He olvidado dónde está el cráter —dijo—.

¡El cráter donde escondimos el globo!

–¿Qué? –exclamé.

–Está por aquí, en alguna parte –zumbó el robot.

–Grrrrr –suspiró Perro Loco, mientras yo miraba a mi alrededor.

Había un montón de cráteres grandes que podían esconder un globo espacial y tardaríamos horas si queríamos mirar en todos ellos.

Entonces, un ruido a mis espaldas me hizo dar la vuelta y tuve que ahogar una exclamación. ¡Socorro! Se oían los golpes de las pisadas de los patanes en el suelo.

–¡Te olemosss, esssspía terrícola! ¡Te vemosss!

–Piensa, Rob, piensa –supliqué.

–No es fácil, ¿sabes? –dijo, con voz aguda y suplicante–. Todos son iguales.

El batallón de patanes avanzaba ahora por el campo de cráteres. Algunos se detuvieron y, sacando unos largos arcos que llevaban a la espalda, colocaron unos pequeños tridentes en ellos y apuntaron al cielo.

–Ya está. ¡Estamos acabados! –exclamé.

Pero entonces, para mi sorpresa, con un ruido parecido al rugir del viento, una enorme bola amarilla empezó a emerger de uno de los cráteres que quedaban a nuestra izquierda.

¡El suelo empezó a levantarse!

–¿Qué demonios es eso? –pregunté–. El suelo empieza a levantarse. –La bola se hacía más y más grande–. ¡Cuidado, el planeta va a explotar!

–Tranquilízate, Charlie –zumbó Rob–. Es el globo. ¡Lo hemos encontrado!

A medida que la bola se hacía cada vez más grande, empecé a ver que se trataba de un globo que emergía del cráter. Pero entonces oí unos silbidos en el aire y vi que los arqueros patanes habían disparado los arcos. Los pequeños tridentes volaron por el aire en dirección al globo. Sus puntas afiladas brillaban a la luz de la mañana. Aguanté la respiración. Si uno de esos tridentes daba en el blanco, nuestro plan para escapar quedaría arruinado. Por suerte, todos los tridentes se clavaron en el suelo y pude respirar de nuevo.

El globo ya flotaba por encima del suelo y vi que de él colgaba una cápsula con forma de puro. Me fijé un poco más y me di cuenta de que una puerta se abría en uno de sus laterales. Allí estaba Theo, haciéndome gestos con la mano frenéticamente, llamándonos.

—¡CORRED! —grité.

Y los tres salimos disparados hacia la nave. Una masa de patanes salió en nuestra persecución. Cada vez se acercaban más... empecé a notar su respiración en la nuca. Entonces sentí el pinchazo de un tridente en la espalda y una mano intentó sujetarme mientras un montón de saliva de patán me caía sobre el hombro. ¡Oh, qué asco!

De repente, Perro Loco, que corría como un tren expreso, dio media vuelta y corrió en dirección contraria ladrando con voz aguda y chasqueando las mandíbulas. Sin dudar un momento, se metió entre los patanes y empezó a morderlos y a golpearlos con su potente cabeza. Los patanes entraron en pánico y empezaron a correr en todas direcciones, chillando, balbuceando y golpeando al perro mecánico. Perro Loco cargó contra los arqueros en el momento en que estos volvían a disparar la segunda andanada, y consiguió que todos los pequeños tridentes salieran desviados.

Theo había mantenido la cápsula cerca del suelo, y mientras corría hacia él, hizo que se balanceara hacia delante y hacia atrás para que el globo flotara cerca del borde del cráter. Todavía me faltaban tres metros para llegar cuando, corriendo a toda pastilla, salté por encima del profundo cráter. Sujetando el preciado tridente, crucé volando la puerta y aterricé dentro de la cápsula, pero las piernas me quedaron colgando fuera, por encima del cráter. Theo me cogió por el cuello de la camisa y me izó hacia dentro.

Sin resuello, me di la vuelta para ver dónde estaban mis amigos. Mientras lo hacía, los dedos metálicos de Rob se engancharon al suelo de la entrada de la cápsula: había extendido los

Theo mantuvo la cápsula cerca del suelo.

brazos al máximo y ahora se estaba izando hasta llegar a bordo. Abajo, Perro Loco corría hacia nosotros, perseguido por una masa de patanes enfurecidos que levantaban los tridentes en el aire y los lanzaban como si fueran lanzas.

–Corre en zigzag –grité.

Perro Loco empezó a hacerlo y consiguió confundir a los lanzadores y evitar los mortales

tridentes, que caían al suelo a su alrededor. Entonces el globo empezó a alejarse del nivel del suelo.

–¿Qué sucede? –exclamé–. ¡Tenemos que esperar a Perro Loco!

–No lo puedo controlar más, Charlie –dijo Theo, mientras giraba la rueda de una válvula unas fracciones de milímetro–. Sin el eje de transmisión, estamos a merced del viento.

Perro Loco corría en línea recta hacia el borde del cráter, ladrando y gimiendo. Era ahora o nunca. Si tardaba un segundo más, quedaría fuera del alcance.

—¡Salta! —chillé con todas mis fuerzas.

Perro Loco saltó y un centenar de tridentes lo persiguieron por el aire. Perro Loco aterrizó sobre el suelo de metal y sus patas metálicas resbalaron hasta que fue a chocar contra la pared opuesta. Los tridentes cayeron al suelo o se estrellaron contra las paredes exteriores de la cápsula, precipitándose luego al fondo del cráter.

Theo cerró la puerta con un golpe seco y rápidamente giró la válvula para que entrara más aire caliente dentro del globo. El globo se hinchó y salimos disparados hacia arriba, hacia el cielo naranja de la mañana.

—¡Bien hecho, Perro Loco, eres un héroe! —grité, dándole un fuerte abrazo. Tenía el cuerpo metálico lleno de rasguños y de abolladuras—. Y bien hecho también, Rob, por habernos traído hasta aquí.

—Siento interrumpir, Charlie —dijo Theo—. Pronto saldremos de la atmósfera y tengo que colocar el nuevo eje de transmisión. De lo contrario, nos encontraremos atravesando el espacio sin ningún control sobre nuestra dirección.

Me apresuré a ayudarlo: ¡ya me había encontrado en esa situación antes y no quería que se repitiera!

De regreso a la Tierra ¡Yuupiii!

Medimos el tridente y luego cortamos las tres púas. Después sujetamos una gran hélice despegable a un extremo del largo mango del tridente. Theo lo introdujo a lo largo de un tubo hasta que salió al otro lado, al exterior de la cápsula. Hizo girar rápidamente el mango y la hélice se desplegó y quedó montada. Insertamos el otro extremo del mango en el motor de la nave y lo sujetamos bien. Después, con un montón de baba de patán que todavía llevaba en el hombro, engrasé el eje para que girara con suavidad.

—Ya está, querido —dijo Theo.

Harmonia presionó el botón de encendido del cuadro de mandos de la cápsula y el motor se puso en marcha. El nuevo eje de transmisión empezó a girar con facilidad. Luego Harmonia bajó el acelerador, y la hélice se movió a mayor velocidad. Giró la rueda a un lado y a otro, y el globo reaccionó a la perfección. Funcionaba: lo habíamos conseguido. ¡Yupii!

—Nos vamos a casa, nos vamos a casa —empezaron a cantar los dos, cogiéndose de las manos y dando vueltas por la cabina como dos niños en el patio del colegio.

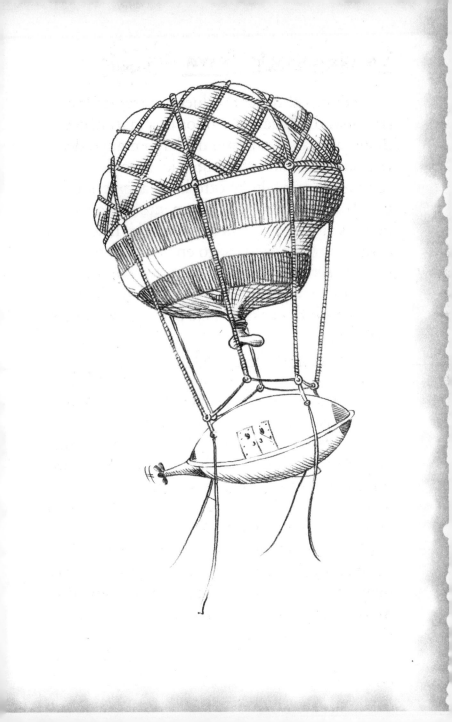

Perro Loco ladraba. Yo daba palmadas al ritmo de su canción y Rob soltó un largo suspiro de sufrimiento, como si estuviera por encima de esas chiquilladas. Luego, todavía débiles y totalmente agotados por el esfuerzo, Theo y Harmonia se dejaron caer en las sillas que había delante de la mesa de mandos. Pero sonreían como bobos.

Cuando salimos de la atmósfera del planeta, Theo giró la rueda de una válvula y el globo se deshinchó por completo, replegándose dentro de una escotilla que se abrió en la parte superior de la cápsula.

—Es para darnos el impulso inicial —explicó—. Si lo dejamos hinchado, se expandiría y explotaría en el espacio.

—Ese fue el error que cometimos cuando tuvimos el pinchazo —dijo Rob—. ¡Fue un buen pinchazo!

—Sí, gracias Rob, nadie te había preguntado —dijo Theo con altivez.

Sonreí y miré por la gruesa ventanilla el paisaje anaranjado, que se hacía cada vez más y más pequeño. Pronto no fue más que un diminuto punto en la vastedad del espacio. «Fiuuu —suspiré—. Me alegro de estar lejos de ese lugar. Ahora, de vuelta a la normalidad... ¡si se puede decir que mi mundo de locas aventuras es normal!»

Ahora mismo estoy tumbado en una hamaca bastante incómoda que hay en una de las dos cabinas del globo espacial. Intento escribir en mi diario, pero la hamaca se balancea con fuerza de un lado a otro, pues la nave está cruzando el espacio en dirección a la Tierra como si fuera un cohete.

Por suerte, pronto estaré de vuelta en la fábrica de Jakeman y podré, por fin, utilizar el Arco a Ninguna Parte para regresar a casa con mamá y papá. Voy a dejar de escribir: estoy cansado después de tantas aventuras con esos patanes. Perro Loco está enroscado al lado de mi hamaca y, desde aquí, oigo que Rob está atareado en la cocina, limpiando, después de tanto tiempo de no haber utilizado la nave, para preparar el desayuno de mañana. Ahora que me siento seguro en compañía de la mamá y el papá de Philly, sé que nada puede salir mal, así que ya seguiré escribiendo luego.

Dirigir la nave espacial, ¡tomar el mando!

Oh, ¿por qué, por qué no me callo la boca? Todo ha salido mal. ¡No me lo puedo creer!

Al principio todo iba sobre ruedas. Entramos

en la atmósfera de la Tierra con algunas sacudidas y, de repente, ¡BAM!, penetramos en la brillante luz del sol de un día de verano.

La nave se precipitaba hacia el suelo. Entonces, con un potente silbido, el globo salió de la escotilla de la parte superior de la cápsula y se hinchó rápidamente, deteniendo nuestra caída. Harmonia comprobó las coordenadas en una pantalla verde y parpadeante, accionó los controles y dirigió la nave hacia la fábrica de Jakeman.

Después del desayuno, mientras daba unas vueltas por la cabina observando todos los botones y controles, vi que había un antiguo aparato de teléfono. Lo descolgué y oí el sonido de la línea.

—¿Para qué es? —le pregunté a Theo.

—Ah, era para mantenernos en contacto con papá, en la fábrica. Pero cuando abandonamos la atmósfera terrestre dejó de funcionar.

—Bueno, pues parece que ahora que hemos regresado a la atmósfera terrestre vuelve a funcionar —dije—. Escucha.

Harmonia cogió el teléfono y se lo llevó al oído.

—Tiene razón —dijo, sin aliento—. Da señal de llamada. ¡Theo, podemos hablar con nuestra querida Philly!

—¡Fantástico! —exclamamos Theo y yo al mismo

tiempo, mientras Perro Loco aplaudía.

—Oh, vaya —dijo Harmonia, con lágrimas en los ojos—. No sé si deberíamos hacerlo. ¿Y si la conmoción es demasiado fuerte para ella? ¿Y si no sabe quién soy?

—No te preocupes por eso —dije—. Sabrá quién eres. Habla de vosotros todo el tiempo. ¿Qué tal si charlo yo primero con ella para prepararla un poco?

Harmonia miró a su esposo con nerviosismo.

—¿Qué te parece? —preguntó.

—Oh, sí. Creo que la conmoción sería mayor si llegáramos a la fábrica sin avisar —repuso él.

Marqué el número de teléfono que Theo me dio apuntado en un trozo de papel y oí que el teléfono daba la señal de llamada. Esperé y esperé mientras Harmonia, detrás de mí, se retorcía los dedos de las manos, pero nadie respondía.

—Quizá hayan salido de compras —comenté, casi decidido ya a colgar el teléfono, pero justo en ese momento oí una débil voz al otro lado de la línea.

—Hola. Aquí el Mundo de los Inventos de Jakeman. Disculpe, el abuelo y yo estábamos soldando la aleta de un cohete de rescate. ¿En qué puedo ayudarle? —dijo Philly.

—Philly, soy yo, Charlie. Voy de regreso a la fábrica —dije.

–Oh, Charlie, gracias al cielo –exclamó Philly–. Justo estábamos construyendo una máquina para ir a buscarte. ¿Dónde estás? ¿Dónde has estado hasta ahora? ¿Cuánto tardas en llegar?

–Seguramente llegaremos mañana –dije, riendo.

–¿Llegaréis? ¿Vendrás con alguien? –preguntó.

–Sí, Phil. Escucha, ¿estás sentada? Porque vas a tener una buena sorpresa –avisé.

–Oh, no me gusta lo que dices. ¿Qué sucede, Charlie? –preguntó Philly.

–No pasa nada malo. Se trata de una sorpresa buena. Hay dos personas a mi lado a quienes les gustaría mucho hablar contigo. Dos personas que hace mucho, mucho tiempo que no ves –dije.

–¿Unas personas que no he visto en mucho tiempo? –preguntó ella, un poco confundida–. Pero las únicas personas a quienes de verdad me gustaría ver... Oh, Charlie, ¿no te refieres a...? Oh, cielos. ¡Oh, rayos!

–Te los paso –dije, dándole el teléfono a Harmonia.

Bueno, durante las dos horas siguientes Harmonia, primero, y Theo, luego, y de nuevo, Harmonia estuvieron

hablando sin parar por teléfono con su hija,
a quien habían perdido hacía tanto tiempo.
Hubo lágrimas de felicidad, gritos de alegría,
risas y exclamaciones y risas otra vez. Mientras
hablaban interminablemente, yo hice todo lo
que pude por dirigir el globo en la dirección que
me parecía que teníamos que ir. Oírlos hablar
con su hija me hizo sentir un poco triste, porque
hubiera deseado poder tener, yo también, una
buena charla con mamá y con papá. Tendré que
probar a llamar con mi móvil otra vez en cuanto
llegue a la fábrica de Jakeman.

Al final, después de cien adioses y hasta
prontos, Theo y Harmonia colgaron el teléfono.
Estaban radiantes de felicidad, y Harmonia me
dio un beso fuerte y sonoro en la mejilla.

–Gracias, Charlie –dijo, y yo me puse
encarnado como un tomate.

De qué manera todo empezó a ir mal ¡Oh, no!

Estuvimos volando durante el resto del día,
durante toda la noche y durante el siguiente
amanecer... y entonces fue cuando sucedió.
Volábamos por encima de una selva y, en
algún momento de la noche, debimos de bajar
demasiado. De repente, oímos un terrible
chirrido y nos quedamos suspendidos en el aire.

–¿Qué diablos sucede? –exclamó Theo.

Abrió una ventanilla de inspección que había en la parte trasera de la cápsula y miró fuera–. ¡Oh, rayos y centellas! Unas enredaderas se han enganchado en la hélice.

Saqué la cabeza por encima de su hombro y vi que un montón de hojas cubrían la hélice. Tendríamos que sacarlas de ahí si queremos retomar el camino de la fábrica.

–Charlie, amigo –dijo Theo, sonrojado a causa de la incomodidad. Ahora que se había dado una ducha, se había cambiado de ropa y se había afeitado la barba, volvía a parecer un ser humano, pero todavía se encontraba muy débil–. Tenemos que desengancharlas de la hélice, pero no podemos aterrizar en esta selva. ¿Tú podrías trepar ahí para intentarlo?

El globo había tomado mayor altura y la selva se veía muy abajo, pero yo sabía que sería peligroso volver a descender hacia las copas de los árboles. «Parece que voy a tener que hacer equilibrios en el aire», pensé.

–De acuerdo –respondí, tragando saliva.

–¿Estás seguro, Charlie?

–Estoy seguro –mentí.

–Podemos atarte una cuerda para que, en caso de que resbales, no caigas –dijo Theo, sonriendo.

–¡Sí, por favor! –exclamé–. Tengo justo lo

que necesitamos –añadí, sacando el lazo de mi equipo de explorador.

¡Socorro!

Al cabo de un par de minutos salí por la puerta a una pequeña repisa metálica que recorría todo el perímetro de la cápsula. Era una repisa resbaladiza, y en ese momento soplaba un fuerte viento.

–¿Estáis seguros de que la cuerda está bien atada? –grité para hacerme oír a pesar del rugido del viento mientras avanzaba por la repisa en dirección a la hélice, intentando encontrar con las manos un punto de agarre en la fina superficie de la cápsula.

–No te preocupes, Charlie –gritó Theo–. Está atada y bien atada.

Llegué al punto en que el cuerpo principal de la cápsula se transformaba en el brazo de la hélice. Tenía unos dos metros de largo, y al otro extremo se encontraba la hélice cubierta de hiedra. Como si fuera un equilibrista, con ambos brazos extendidos, fui avanzando hacia ella. Al llegar, me senté y me sujeté al brazo metálico con ambas piernas para inclinarme hacia delante y poder agarrar las plantas enredadas.

Muy abajo, un manto de selva se extendía hasta el horizonte en todas direcciones. «No mires hacia abajo –me dije, pues empezaba a sentirme mareado–. ¡Concéntrate!»

Agarré un montón de hojas y di un fuerte tirón. No me costó sacarlas, pero me di cuenta de que había unos fuertes tallos que se habían enroscado en la hélice y la habían bloqueado. Metí la mano en la mochila, saqué el diente de megatiburón y empecé a serrarlos. Eran fuertes, pero el diente gigante era muy afilado y pronto empecé a cortarlos.

Pero, de repente, se soltaron. La hélice volvió a ponerse en marcha con toda su fuerza. La cápsula salió impulsada hacia delante y yo me caí.

«Menos mal que llevo la cuerda de seguridad», pensé. ¡Pero, al caer, la cuerda pasó demasiado cerca de la hélice y se cortó!

–¡Socorro! –grité, mientras caía al vacío como una piedra.

–Oh, Charlie –oí que exclamaba Harmonia desde la puerta de la cápsula.

Las copas de los árboles se acercaban a mí a toda velocidad. Cerré los ojos, esperando el impacto contra las ramas más altas. Y entonces:

¡Bump!

Me golpeé contra algo que no eran las duras ramas de un árbol. Abrí los ojos y tuve que reprimir una exclamación: ¡había aterrizado encima de una cosa fría y con escamas que parecía estar volando por el aire! Me encontraba en la grupa de un enorme... ¿qué era eso?... ¡un dragón, o quizá una especie de monstruo jurásico!

Esa gigantesca criatura volaba a tanta velocidad como un avión (y tenía más o menos el mismo tamaño). Miré hacia atrás y me di cuenta de que el globo de Harmonia y Theo no era ya más que un punto en la distancia. A cada golpe de esas enormes y dentadas alas, la criatura

avanzaba kilómetros; tuve que sujetarme con fuerza a sus omóplatos para evitar caer al vacío. A mis espaldas, una cola larga y sinuosa ondulaba en el aire y, ante mí, un cuello igual de largo desembocaba en una cabeza huesuda y angulosa.

La criatura levantó el afilado hocico y soltó un chillido que rompía los tímpanos. Me parece que ni siquiera notó que yo había caído encima de su espalda. ¡Ese bicho era tan enorme, y su cerebro tenía que ser tan pequeño para caber en un cráneo tan minúsculo, que seguramente le podría caer un piano encima y no notaría absolutamente nada! Me agarré a él con todas mis fuerzas.

Nos alejamos de la fronda verde de la selva y cruzamos un paisaje de suaves colinas; luego pasamos por una alta región de lagos y, finalmente, cuando el sol empezaba a ponerse, llegamos a una enorme planicie llena de maleza arrasada por el viento. De repente, el monstruo levantó el cuello y empezó a ganar altura. El cambio me tomó por sorpresa: rodé por su lomo, por su cola y... caí encima de un blando lecho de musgo helado.

Una visión monstruosa ʘʘ

El viento era helador, y los dientes empezaron a castañetearme. Me puse en pie sobre el lecho de musgo y miré a mi alrededor. Mi aliento formaba nubes de vaho en el aire. El áspero y ondulante paisaje de rocas y maleza aparecía desolado, poco acogedor. «¡Maldición!», pensé. ¡Justo en ese momento en que ya casi había llegado a la fábrica y estaba a punto de volver a ver a Jakeman y a Philly! Y ahí me encontraba otra vez, al inicio de otra peligrosa aventura.

Levanté la vista hacia el cielo, que ya oscurecía. Estaba lleno de tonos púrpuras y azules, rosas y magentas, que dibujaban formas en el cielo como el aceite en el agua. Era hermoso, y me quedé contemplándolo, hipnotizado por sus sinuosas líneas. Sonreí: si estuviera en casa no podría disfrutar de una visión tan hermosa. ¡Quizás correr otra aventura no fuera tan malo, después de todo!

De pronto, volví a notar el frío y supe que tenía que ponerme en marcha si no quería quedarme helado. Saqué mi vieja y ajada chaqueta de la mochila, me la puse y empecé a correr a paso ligero por esa estéril tundra.

Pronto se hizo de noche... y fue entonces cuando oí que un animal husmeaba cerca de mí. Miré a mi alrededor, pero no pude ver nada en esa oscuridad.

Empecé a correr. Mis pisadas sonaban sobre el frío suelo de roca, y no cabía duda de que me perseguían otras pisadas. Entonces el sonido de olisqueo se convirtió en un suave gruñido. ¡Oh, socorro! «¿Y ahora, qué?», pensé. El corazón se me aceleró y la frente se me llenó de sudor a pesar del frío. Corrí con todas mis fuerzas, haciendo zigzag en la oscuridad para despistar a mi perseguidor.

Entonces, súbitamente, el suelo desapareció bajo mis pies y caí por una pronunciada pendiente rodando como un tapón de botella hasta que choqué contra una enorme pared de roca. Me puse en pie rápidamente y corrí a toda velocidad por el pie de la pared. Encontré una profunda apertura en la roca. Me metí dentro, me tumbé en el suelo y me concentré para intentar oír algo aparte de mi propia respiración agitada.

Al principio no oía nada, pero al cabo de poco me llegó el gemido de esa bestia. Inmediatamente se oyó otro ruido y el gemido se convirtió en un rugido. Un aullido que helaba la sangre llenó la noche, y luego oí un

¡Socorro!

tremendo gruñido y un estallido. Parecía que hubiera una fuerte batalla en algún lugar de esa oscuridad.

Un grito resonó en el aire. Luego percibí el desagradable sonido de unos dientes al desgarrar la carne, y el sorber y el resollar de un depredador comiéndose a su presa. Un escalofrío me recorrió todo el cuerpo. Pero, al final, esa bestia se dio por satisfecha. Sus pisadas se alejaron en la distancia y todo volvió a quedar en silencio.

Hace frío y todo es oscuro, y la noche está llena de peligros, así que me voy a quedar en esta grieta a pasar la noche e intentaré dormir un poco. No es el lugar más cómodo del mundo: al fondo de este escondite hay una gruesa pared de hielo, pues una catarata que caía aquí se heló, así que el aire es muy frío. Pero no me voy a quejar: ¡estoy viviendo las aventuras más increíbles del mundo!

Acabo de terminar de escribir mi diario y ahora intento ponerme cómodo en este suelo duro. Tengo ganas de que llegue la mañana para poder averiguar en qué lugar he aterrizado exactamente y qué tipo de animales son los que he oído pelear esta noche. Estoy... vaya, ¿qué ha sido eso?

Acabo de ver una tenue sombra dentro de la

cascada de hielo, pero una capa de escarcha la oculta. Si la limpio, quizá pueda ver lo que está atrapado dentro del hielo. A ver... ¡Oh, horror! ¡Delante de mí, aprisionado en el sólido hielo, se encuentra un monstruoso Tyrannosaurus Rex! ¡Esa bestia petrificada se encuentra en perfecto estado de conservación dentro de su ataúd de hielo, y se cierne sobre mí con sus fauces abiertas, como si rugiera, mostrando unos dientes largos como pepinos! ¿Era uno de sus parientes lo que me perseguía por la tundra? Yo creía que esos malditos bichos se habían extinguido.

¡Sssh! Ahora oigo un ruido procedente del exterior de la cueva: el ruido de unos enormes orificios de nariz que olisquean. Un tremendo rugido ha roto el silencio y un enorme hocico intenta entrar por la grieta de la roca y lanza unas enormes nubes de vapor a mi alrededor. Ahora abre las fauces. «Por favor, vete, por favor, vete, por favor... ¡Socorrroooo!»

NOTA DEL EDITOR

Aquí termina el diario de Charlie Small, ¡y parece que este pequeño aventurero de ocho años se encuentra en un verdadero peligro! Queremos saber qué le sucede a nuestro héroe en esta tierra de depredadores prehistóricos, así que, por favor, por favor, por favor, tened los ojos bien abiertos por si encontráis otro cuaderno del diario de Charlie. Si lo encontráis, ¡no os olvidéis de enviárnoslo sin demora!

PATANES

Extraterrestres asquerosos y reptilianos que viven en Ciudad patánica. Son retorcidos, peligrosos y no hay que confiar en ellos. ¡Si te capturan, te someterán al Sorbesesos!

Colección de cromos de animales salvajes

calificación como perdedor 50

No había ningún cromo de patanes en mi colección, así que he hecho uno yo mismo.

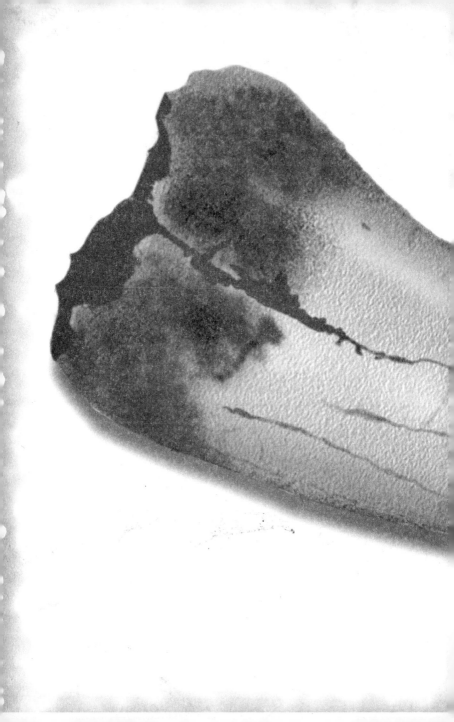

¡Oh, socorro! Acabo de encontrar este viejo diente de dinosaurio en el suelo. ¡Imaginaos el tamaño del monstruo del que procede!

Chistes espaciales ¡gemido!

¿Dónde dejan los astronautas sus naves espaciales?

-¡En aparcamientos de meteoritos!

¿Cómo se llama un alienígena con tres ojos?

-¡Un aliiiienígena!

¿Cuáles son los dulces favoritos de los alienígenas?

-¡Marciamelos!

¿Cuál es el juego favorito de un astronauta? -¡Astronautres en línea!

¿Cómo se llama un mago espacial?

-¡Maguillo volador!

¿Cuál es la agudeza normal de visión de un alienígena?

-¡20, 20, 20!

¿Por qué el astronauta que llegó al Sol no se quemó?

-¡Porque llegó de noche!

¿Cómo cuenta un alienígena hasta 25?

-¡Con los dedos!

Consejos de Charlie Small

para un viaje espacial

1) Prepara siempre tu viaje con antelación: evita viajar por accidente.

2) Asegúrate de que tu vehículo espacial pasó la ITV

3) ¡Llévate una pistola paralizante!

4) Asegúrate de que podrás volver a casa en cualquier momento.

5) ¡Estate siempre preparado para la traición de un alienígena!

6) Nunca le digas a un alienígena que es una bola grasienta y resbaladiza con los dientes podridos: ¡quizá pueda entenderte!

7) Ve con un amigo: uno que sea fuerte, valiente y experto en kárate, si es posible.

¡¡Feliz Exploración!!

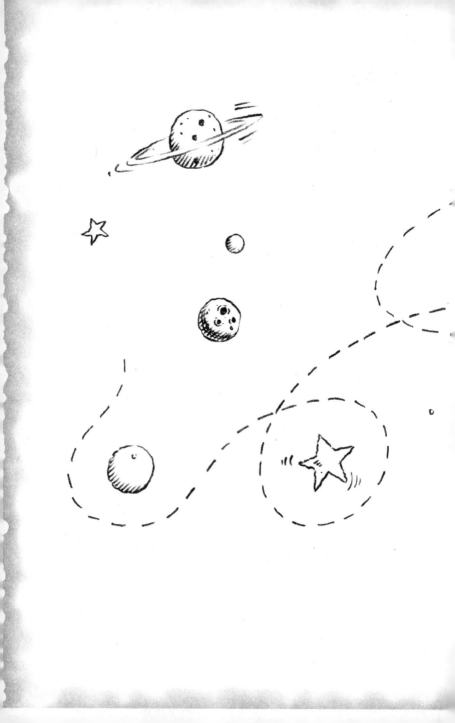

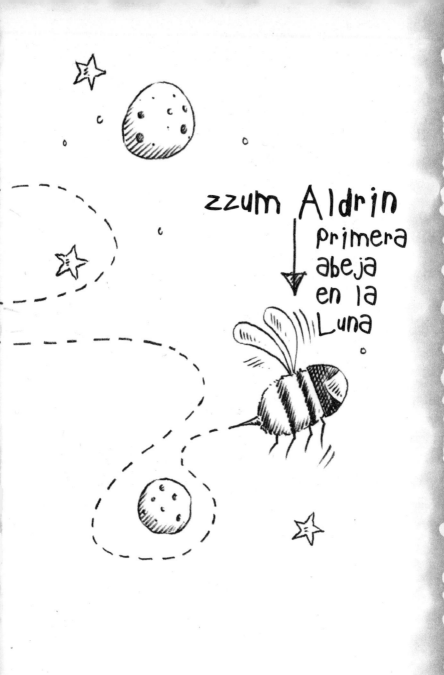

¡Dibuja aquí
a tu propio patán!